"BASIS"

Print ISBN: 978-3-941484-35-1
Ebook ISBN: 978-3-941484-36-8

www.dreiband-billard.de
www.lithoshop.eu

DAS BASIS-TRAININGSPROGRAMM

Sinn und Zweck des Basis-Trainingsprogramms und Leistungstest ist es, den Einstieg in die hohe Kunst des Karambolbillard zu erleichtern und Struktur in die verschiedenen Themenbereiche (Tempogefühl, Seiteneffet, Rück- und Nachläufer, Treffen von Ball 2 und die entsprechenden Kombinationen aus diesen) zu bringen. Die anschließende Protokollierung ermöglicht eine stetige Leistungskontrolle und das gezielte Bearbeiten von Schwächen des Trainierenden. Die Einteilung in Level 1-4 soll eine zusätzliche Motivation darstellen, sich kontinuierlich zu verbessern und das nächst höhere Level zu erreichen.

DIE VIER LEISTUNGSKLASSEN

Beim Basis-Trainingsprogramm gibt es vier Leistungsklassen, die nach Farben gekennzeichnet sind. Dazu gibt es bei jeder Übung das hier rechts gezeigte Symbol. Die Zahlen entsprechen der zu erreichenden Punkteanzahl für das entsprechende Level.

Weiss: Level 1 = Starter. Auf dieser Stufe macht der Trainierende seine ersten Übungen und der erste Test gibt ihm eine Orientierung über Stärken und Schwächen.

Gelb: Level 2 = Rookie. Sobald ein Trainierender die Stufe des Rookies erreicht hat, macht es Sinn, sich auch mit anderen Übungen als den Basisübungen zu beschäftigen und die ersten Turnierpartien zu spielen.

Grün: Level 3 = Ambitious. Grün bedeutet hier, dass der Spieler ein hohes Niveau an technischen Fertigkeiten erreicht hat, das ihn befähigt, in allen Disziplinen schnelle Fortschritte zu machen. Er hat eine gutes Tempogefühl und viel Erfahrung mit den verschiedenen Effekten.

Rot: Level 4 = Top. Hier ist die Punkteanforderung fast immer identisch mit dem maximal möglichen Wert. Dieses Level erfordert eine perfekte Technik und sehr viel Erfahrung und wird nur von wenigen Spielern erreicht.

TRAINING UND TESTABNAHME VOR ORT

Die Trainer erarbeiten mit den Schülern in den Clubs die Übungen und achten dabei auf eine saubere Stoßtechnik. Sie legen einen Termin fest, an dem ein erster Test stattfinden soll. Die Ergebnisse werden protokolliert und mit einem Datum versehen (siehe Seite 39). Je nach Ergebnis wird dem Trainierenden seine Einstufung zugewiesen. Nach Auswertung von Stärken und Schwächen kann der Trainer sein weiteres Trainingsprogramm gestalten.

TRAINING UND TESTABNAHME ÜBER INTERNET MIT MYWEBSPORT

Über das MYWEBSPORT-Trainingssystem kann sowohl trainiert werden als auch über Internet von Mywebsport-Trainern geprüft werden. Dazu ist es erforderlich, dass sowohl Trainer als auch Schüler Zugang zu einem MYWEBSPORT-System haben.

WORAUF IST BEI DER TESTABNAHME ZU ACHTEN

Testabnahme: Grundsätzlich kann jeder diesen Test mit seinen Klubkollegen durchführen, und kontinuierlich an deren Leistungssteigerung arbeiten. Offiziellen Charakter hat das Testergebnis aber nur, wenn ihn ein Übungsleiter oder Trainer abgenommen hat. Eine Liste an Übungsleitern und Trainern in Österreich gibt es im Internet unter: www.bsvoe.com

Einspielzeit: Da bei einigen Übungen die Beschaffenheit des Spielmaterials eine Rolle spielt hat der Trainierende vor der Testabnahme 15 Minuten Einspielzeit.

Tischgröße: Der Test ist auf ein Matchbillard ausgerichtet und hat auch nur dann offiziellen Charakter. Trotzdem können die meisten Übungen auch auf kleineren Tischen trainiert werden.

Teilnehmerzahl: Empfehlenswert sind maximal 2 Spieler pro Tisch bei maximal 2 Tischen pro Trainer.

Dauer: Die Dauer richtet sich nach der Teilnehmerzahl. Bei einem Spieler dauert der Test ca. 3 Stunden, bei 2-4 Teilnehmern ca. 4-5 Stunden.

Übungsablauf: Auch bei mehreren Teilnehmern wird jede einzelne Übung vom Spieler durchgehend absolviert.

Testumfeld: Der Trainer hat darauf zu achten, dass das Testumfeld einer Turniersituation entspricht, d.h. kein Lärm, sauberes Spielmaterial, etc.

Ergebnis: Um im gesamten Test ein Level zu erreichen, müssen, bis auf drei, alle Übungsergebnisse mindestens diesem Level entsprechen, d.h. der Schüler darf in max. drei Übungen weniger als die erforderliche Mindestpunktzahl für das angestrebte Level erreichen.

Kurzbezeichnung der Übung:
T 1 = Tempokontrolle 1

LEGENDE

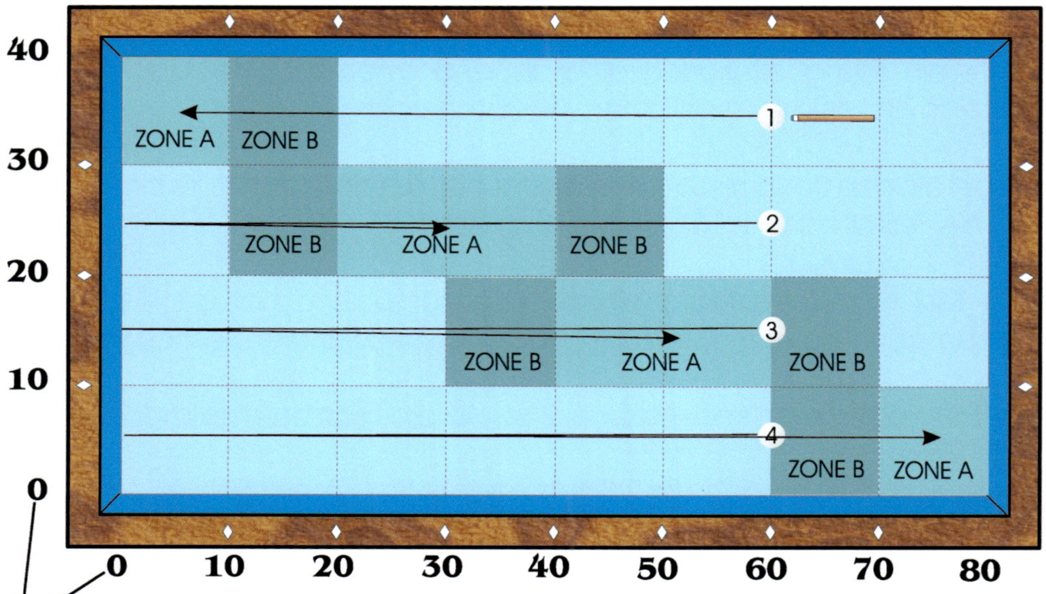

40 30 20 10 0

ZONE A ZONE B 1

ZONE B ZONE A ZONE B 2

ZONE B ZONE A ZONE B 3

ZONE B ZONE A 4

0 10 20 30 40 50 60 70 80

Koordinaten zur genauen Bestimmung der Lage der Bälle, wobei die Werte der langen Bande zuerst stehen. B 1 1 (60/35)

Zeigt an, wo die Queuespitze (kleiner schwarzer Punkt) den Spielball treffen soll

3 4	Max. 48	0-27 28-35 36-47 48

Zeigt an, ob und mit welcher Queueneigung der Stoß ausgeführt werden soll

Zeigt an, welche und wie viele Kugeln für die jeweilige Übung benötigt werden.

3

Zeigt an, wie viele Versuche gespielt werden (obere Zahl) und wie viele verschiedene Positionen die Übung hat.

Max.
48

Zeigt an, was die maximal erreichbare Punktzahl ist.

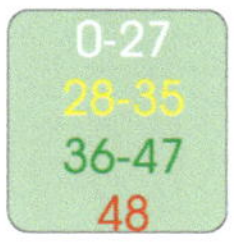

0-27
28-35
36-47
48

Zeigt an, welche Punktzahl erforderlich ist, um das entsprechende Level zu erreichen:
Weiss: Anforderung für Level 1 - STARTER
Gelb: Mindestanforderung für Level 2 - ROOKIE
Grün: Mindestanforderung für Level 3 - AMBITIOUS
Rot: Mindestanforderung Für Level 4 - TOP

Ausdrücke:

B 1 = Spielball
B 2 = Erster anzuspielender Ball, erster Objektball
B 3 = Zweiter Objektball

TEMPOKONTROLLE 1

Aufgabe: B 1 soll in der eingezeichneten Zone zu liegen kommen, wobei die Zone A besser ist als Zone B. In der ersten Stellung darf B 1 mit oder ohne Kopfbande die Zielzone erreichen, in den Stellungen 2 und 3 muss zuerst die Kopfbande angespielt werden, in der Stellung 4 darf auch mit der Fußbande gespielt werden.

Durchgänge: 3, bei 4 verschiedenen Endzonen.

Punktewertung: Kommt der Spielball in Zone A zu liegen, zählt der Versuch vier Punkte, in Zone B zwei Punkte. Dabei muss mindestens der halbe Ball-Durchmesser im Feld sein. Die langen Banden dürfen nicht berührt werden.

Zweck der Übung: Der Schüler fördert sein Tempogefühl, wobei er vor allem darauf achten sollte, dass die Intensität der Einschwingbewegung exakt der Intensität der Stoßbewegung entspricht. Während der Ausführung bleibt der Körper ruhig und die Bockhand geschlossen auf dem Tuch liegen, bis der Ball zum Stillstand gekommen ist.

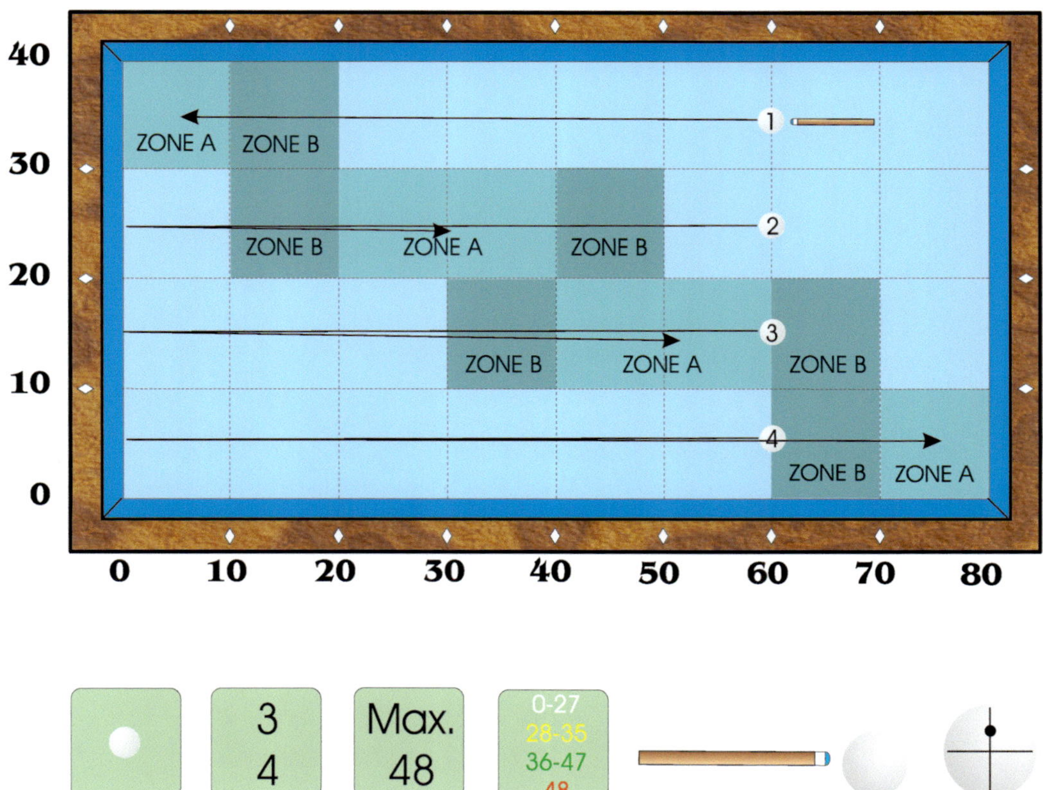

3
4

Max.
48

0-27
28-35
36-47
48

TEMPOKONTROLLE 2

Aufgabe: Wie bei der vorangegangenen Übung soll B 1 in der eingezeichneten Zone zu liegen kommen, wobei die Zone A besser ist als Zone B. In der ersten Stellung muss B 1 über zwei kurze Banden die Zielzone erreichen, in den Stellungen 2 und 4 kann die Zielzone mit oder ohne der letzten kurzen Bande erreicht werden. In der Stellung 3 muss B 1 drei kurze Banden getroffen haben.

Durchgänge: 3, bei 4 verschiedenen Endzonen.

Punktewertung: Kommt der Spielball in Zone A zu liegen, zählt der Versuch vier Punkte, in Zone B zwei Punkte. Dabei muss mindestens der halbe Ball-Durchmesser im Feld sein. Berührt der Spielball die lange Bande oder kommt seitlich über die Endzone hinaus, erhält der Spieler 1 Punkt Abzug.

Zweck der Übung: Der Schüler lernt das Dosieren des Tempos auch bei höherer Stoßstärke. Unsauberheiten in der Stoßtechnik werden hier schnell sichtbar als ungewolltes Seiteneffet.

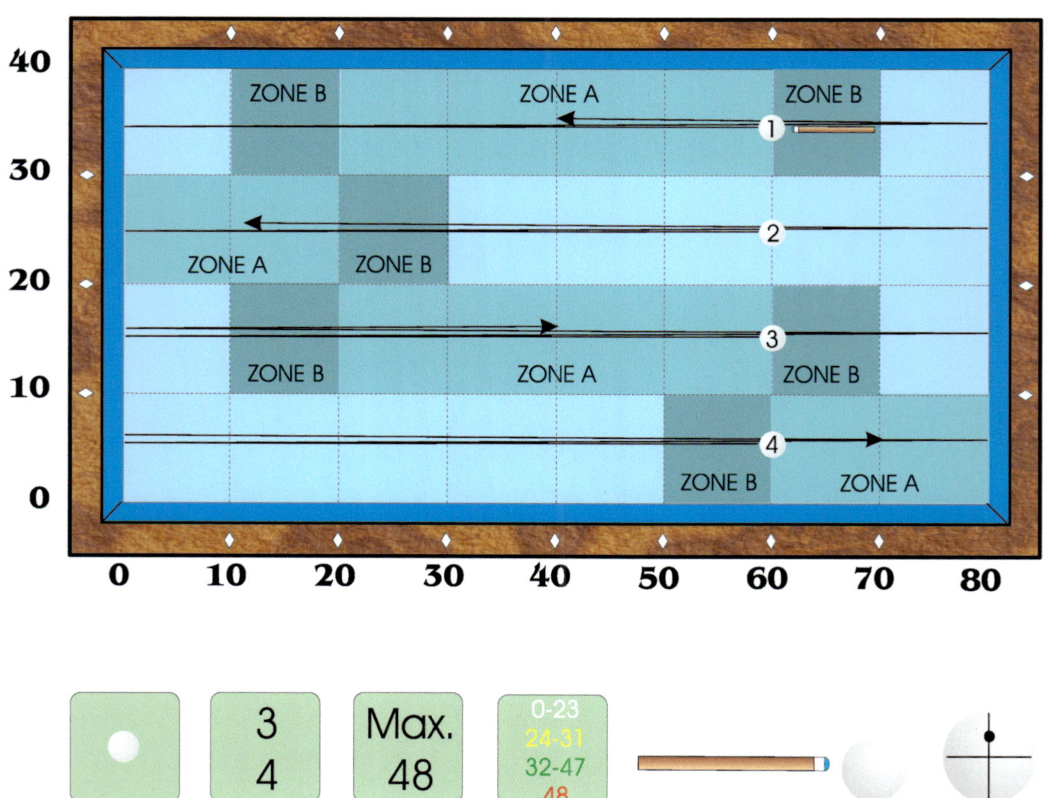

3
4

Max.
48

0-23
24-31
32-47
48

TEMPOKONTROLLE 3

Aufgabe: Acht Kugeln werden auf Höhe des ersten Diamanten der kurzen Bande, so wie in der Grafik eingezeichnet, aufgestellt. Der Spieler soll die jeweilige Kugel so anstoßen, dass sie in dem entsprechenden, dunkel eingefärbten Feld liegen bleibt. Bei der dritten Stellung darf der Spielball die lange Bande nicht berühren, bei der vierten Stellung muss er sie berühren. Dasselbe gilt für die Stellungen 7 und 8.

Durchgänge: 3, bei 8 verschiedenen Positionen.

Punktewertung: Kommt der Spielball in der vorgeschriebenen Zone zu liegen, zählt der Versuch 2 Punkte, wobei mindestens der halbe Balldurchmesser innerhalb der Zone sein muss.

Zweck der Übung: Diese Übung fördert das Tempogefühl für schwache Stöße, wie sie gerade in der Freien Partie häufig vorkommen.

Tipp: Gerade bei dieser Übung ist es sehr hilfreich, ganz bewusst darauf zu achten, dass die Intensität des Einschwingens den Erfordernissen des Stoßes angepasst wird, d.h. ein ganz schwacher Stoß erfordert ein minimales, schwaches Einschwingen.

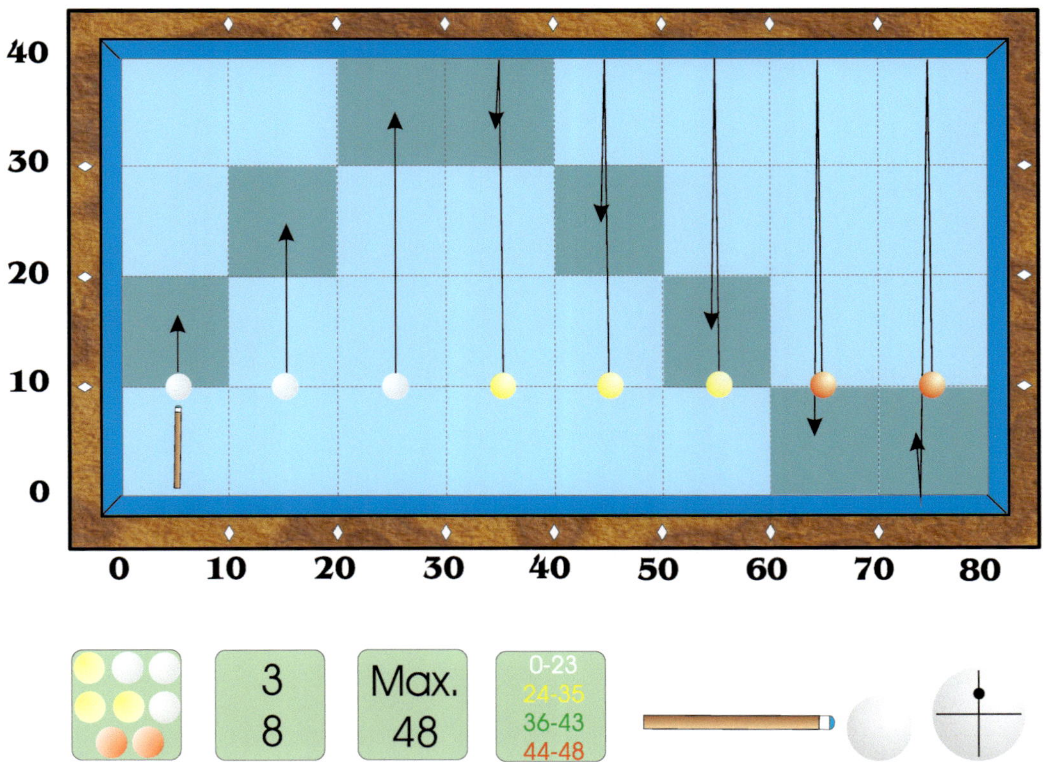

3
8

Max.
48

0-23
24-35
36-43
44-48

TEMPOKONTROLLE 4

Aufgabe: B 1 wird ohne Effet, so stark wie möglich, an die Mitte der Kopfbande gespielt. Dabei soll er in der eingefärbten Zone zwischen dem ersten und dritten Diamanten hin- und herpendeln.

Durchgänge: 3, wobei der beste Versuch in die Wertung kommt.

Punktewertung: Jede Bandenberührung zählt 10 Punkte, danach zählt jeder zurückgelegte Diamant 1 Punkt. Kommt der Spielball mit mehr als der Hälfte über die dunkel eingefärbte Zone hinaus, wird der Punktewert halbiert (bei ungeradem Ergebnis wird aufgerundet). Berührt der Spielball die lange Bande, zählt der Versuch 0 Punkte.

Zweck der Übung: Je stärker ein Stoß ist, desto stärker wirken sich stoßtechnische Fehler aus. Durch das Training dieser Übung lernt man, Unsauberheiten zu erkennen und zu korrigieren.

Tipps: Um möglichst viel Beschleunigung in den Stoß zu bringen, ist es von Vorteil, das Queue locker in der Stoßhand zu halten und mit dem Körper möglichst ruhig zu bleiben. Außerdem sollte der Körper etwas aufrechter sein, damit die Stoßhand für die intensive Bewegung genug Platz hat.

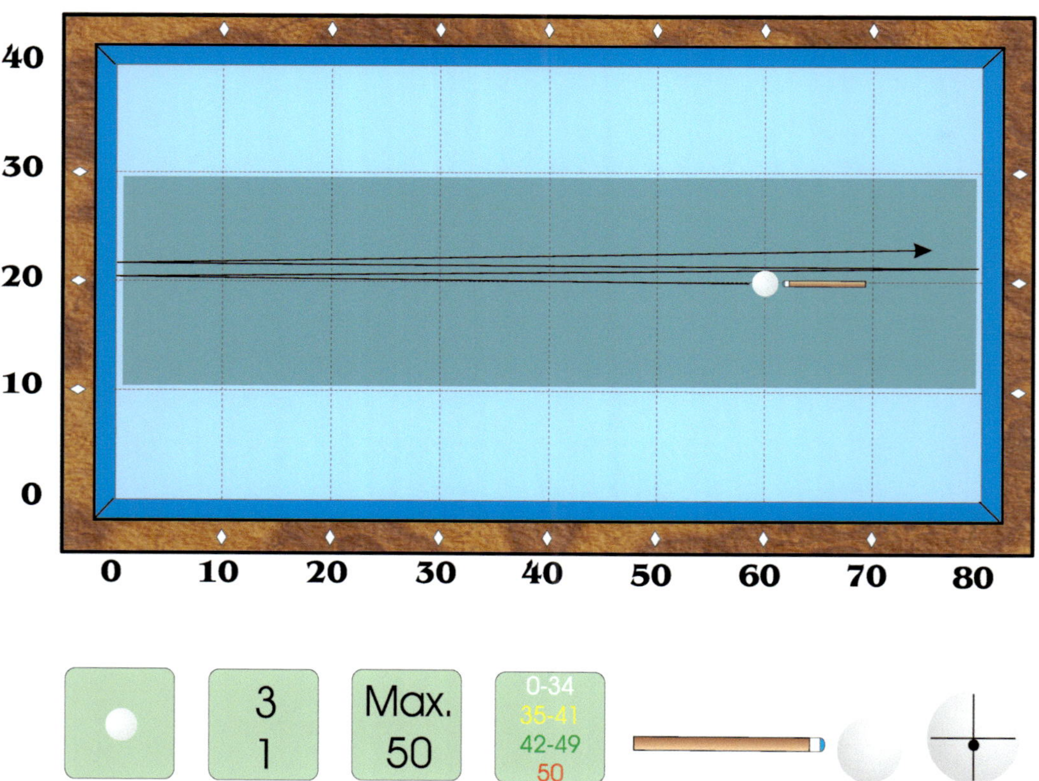

3
1

Max.
50

0-34
35-41
42-49
50

TEMPOKONTROLLE 5

Aufgabe: B 1 wird wie abgebildet platziert (05/10) und B 2 einen Kreidedurchmesser vom Spielball entfernt aufgestellt. B 1 wird mit dem minimal möglichen Tempo voll auf B 2 gespielt. Das wird so oft wiederholt, bis B 2 die obere lange Bande berührt. Berührt einer der beiden Bälle die linke kurze Bande oder verlässt einer der beiden Bälle mit mehr als der Hälfte eines Balles die Grenze der Zone des ersten Diamanten (dunkel eingefärbte Zone), endet der Versuch und es zählen die bis dahin erzielten Punkte.

Durchgänge: 1

Punktewertung: Jede gültige Karambolage zählt 1 Punkt. Fällt der Stoß zu schwach aus, darf der Spieler die Serie fortsetzen, erhält aber 3 Punkte Abzug. Stehen die Bälle press oder so knapp bei einander, dass ein Durchstoß unvermeidlich wird, darf der Spieler B 2 einen Zentimeter von B 1 wegstellen und die Serie fortsetzen, erhält dafür aber 1 Punkt Abzug. Erreicht der Spieler 60 Punkte, hat er das Maximum erreicht und kann die Übung abbrechen.

Zweck der Übung: Gerade in der Freien Partie ist es sehr wichtig, möglichst viele Punkte aus einer eng beieinander liegenden Stellung herauszuholen. Anfänger tendieren dazu, in solchen Momenten viel zu stark zu spielen, so dass bereits nach einem Stoß die Bälle weit auseinander liegen.

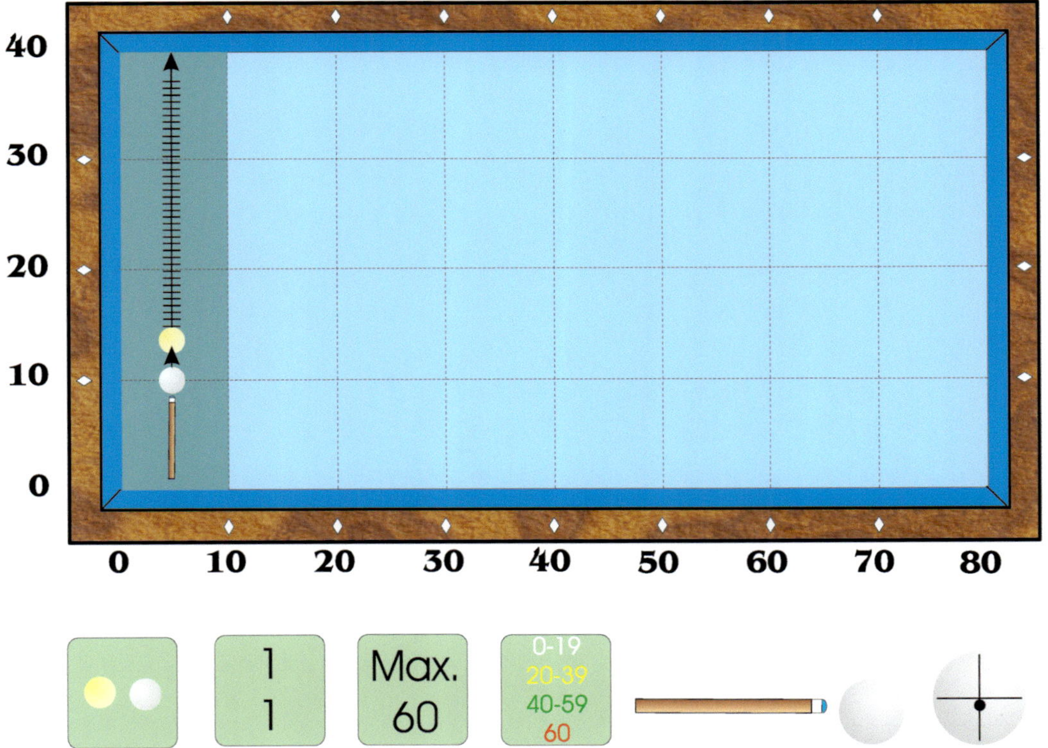

1 1	Max. 60	0-19 20-39 40-59 60

KONTROLLE DES EFFETS 1

Aufgabe: B 1 soll über eine Bande B 2 treffen und muss dabei immer zwischen die beiden roten Bälle gespielt werden, die genau 2 Ballbreiten auseinander stehen. Der gelbe Ball wird der Reihe nach auf die entsprechenden Positionen gelegt. Bei den Stellungen 4 und 5 werden zwei Bälle nebeneinander gestellt, um die Aufgabe etwas zu erleichtern.
Die Objkektbälle stehen immer genau einen Balldurchmesser von der Bande entfernt.

Durchgänge: 3, bei 8 verschiedenen Positionen.

Punktewertung: Jede gültige Karambolage zählt 2 Punkte. Der Stoß gilt auch dann als gelungen, wenn der Spielball vor der Karambolage die Bande berührt (gestrichelte Linie).

Zweck der Übung: Der Spieler lernt, das Seiteneffet zu dosieren und zu kontrollieren.

Tipps: Viele Spieler, und vor allem Anfänger neigen dazu, bei Effetstößen zu verreißen, ein so genanntes "Körpereffet" mit zu geben, so dass die Stoßbewegung eine Kurve beschreibt. Aus diesem Grund soll bei dieser Übung ganz besonders auf einen geraden Abstoß geachtet werden. Außerdem soll das Queue absolut horizontal gehalten werden um ein Kurven des Spielballes zu vermeiden.

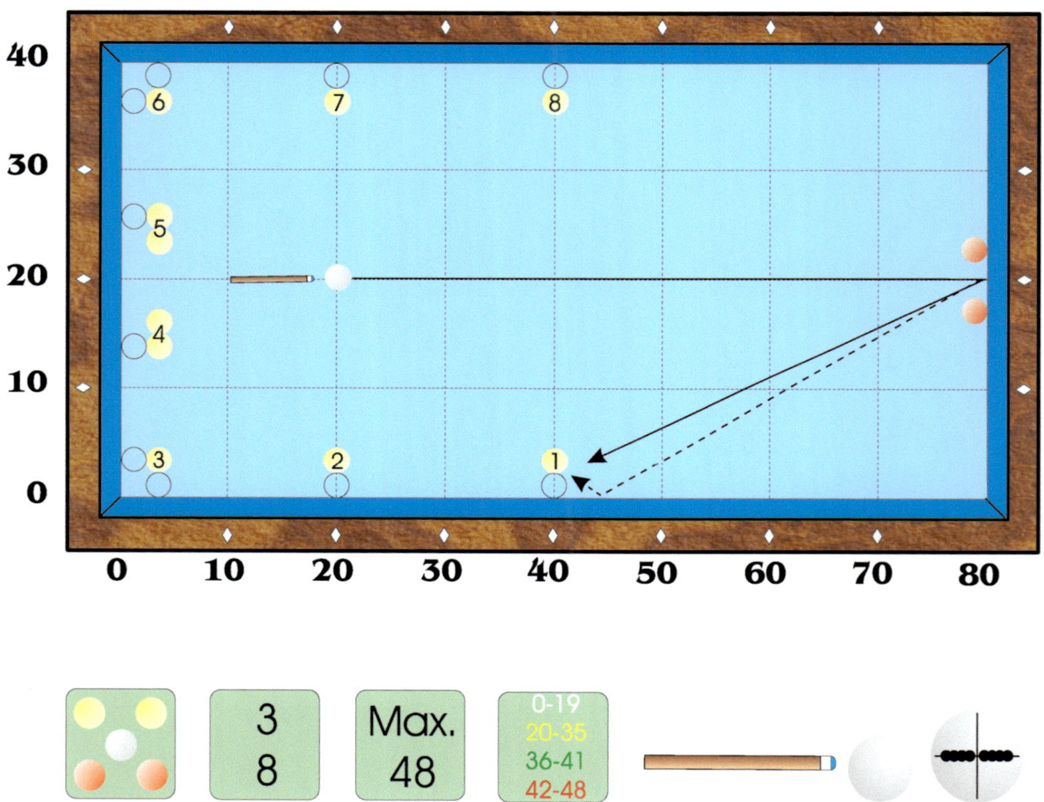

3
8

Max.
48

0-19
20-35
36-41
42-48

KONTROLLE DES EFFETS 2.1

Aufgabe: B 1 soll über zwei Banden B 2 treffen und muss dabei immer zwischen die Ecke und dem ersten Diamanten der langen Bande gespielt werden. Der gelbe Ball wird der Reihe nach auf die entsprechenden Positionen gelegt. Bei den Stellungen 4 und 5 werden zwei Bälle neben einander gestellt, um die Aufgabe etwas zu erleichtern. Dabei genügt es, einen der beiden Bälle mit dem Spielball zu berühren.

Durchgänge: 2, bei 6 verschiedenen Positionen.

Punktewertung: Jede gültige Karambolage zählt 2 Punkte. Der Stoß gilt auch dann als gelungen, wenn der Spielball vor der Karambolage die Bande berührt (gepunktete Linie).

Zweck der Übung: Der Spieler lernt, das Seiteneffet zu dosieren und zu kontrollieren und bekommt ein Gefühl dafür, wie sich Bandenberührungen auf das Effets des Spielballs auswirken.

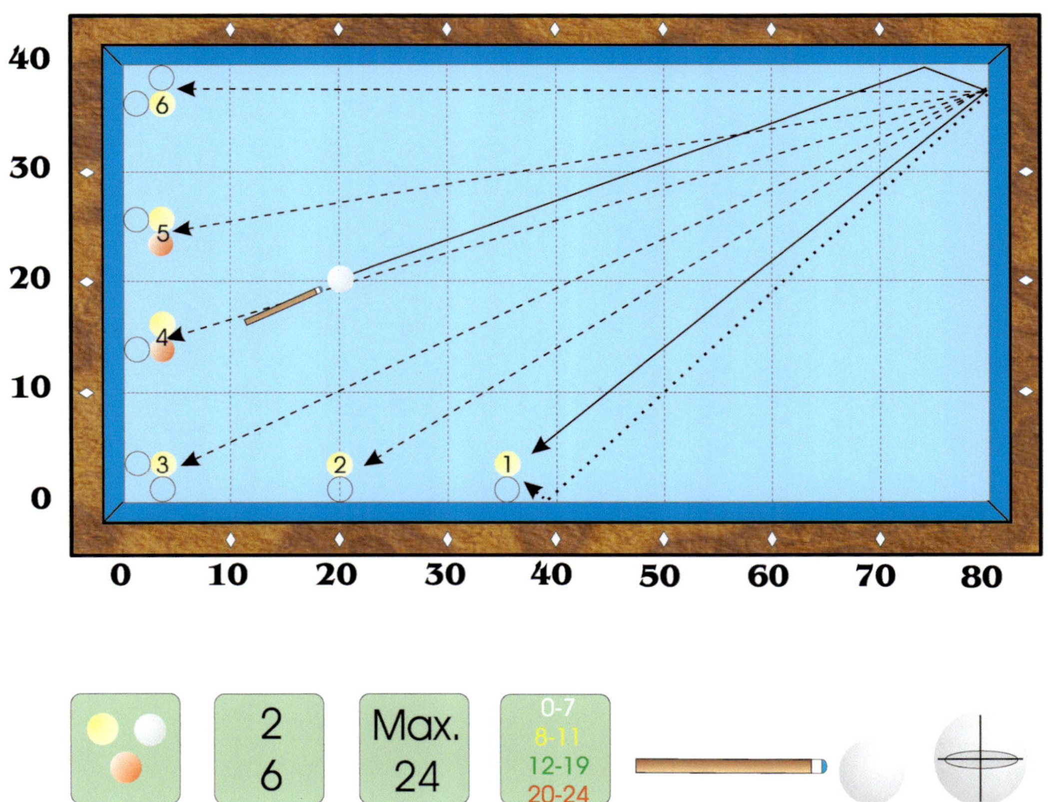

2
6

Max.
24

0-7
8-11
12-19
20-24

KONTROLLE DES EFFETS 2.2

Aufgabe: So wie bei der vorangegangenen Übung, nur wird hier bei den ersten Positionen mit Linkseffet gespielt.

Durchgänge: 2, bei 6 verschiedenen Positionen.

Punktewertung: Jede gültige Karambolage zählt 2 Punkte. Der Punkt gilt auch dann als gelungen, wenn der Spielball vor der Karambolage die Bande berührt (gestrichelte Linie).

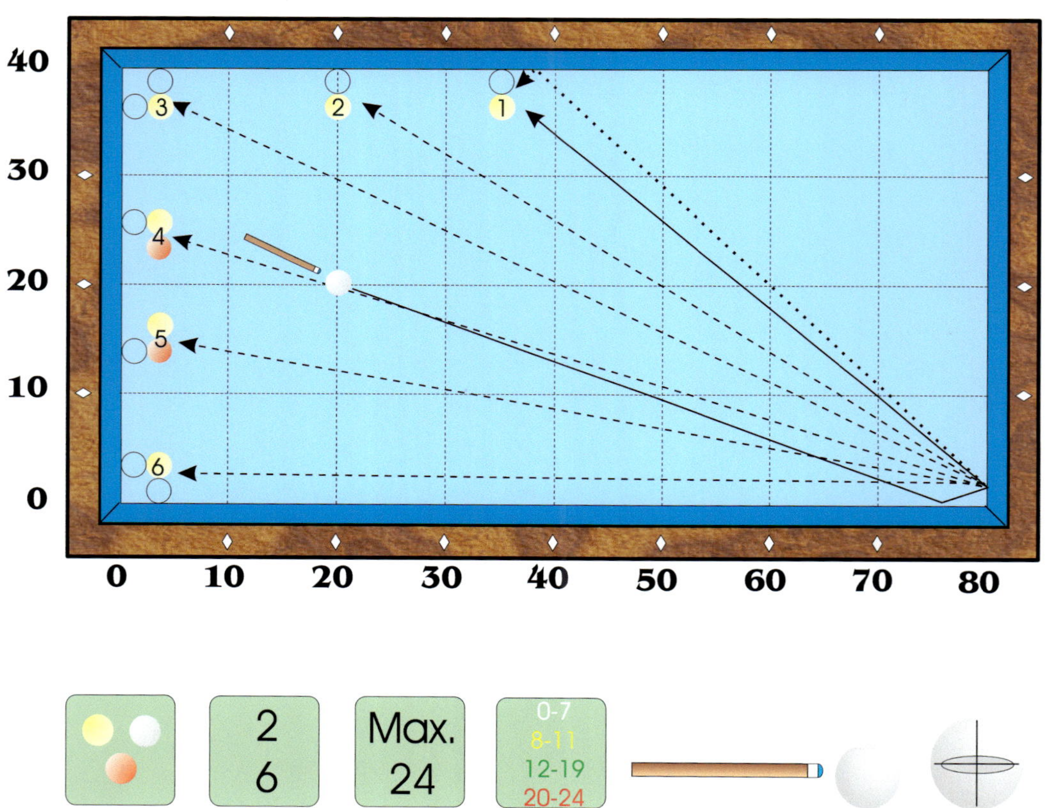

RÜCKZIEHER 1

Aufgabe: B 1(20/10) trifft B 2(30/11) maximal voll, so dass dieser über die kurze Bande in die eingezeichnete Zone läuft. B 1 soll mit Rückziehereffekt gespielt werden und in der für ihn vorgesehenen Zone zu stehen kommen. Das ist bei den ersten drei Versuchen die Zone 1, danach bei drei Versuchen die Zone 2, und anschließend die Zone 3. Es gilt für beide Bälle, dass mindestens die Hälfte des Balles innerhalb der Zone sein muss. Trifft der Spielball nach dem Treffen von B 2 die untere lange Bande, weil B 2 nicht voll getroffen wurde, ist dieser Treffpunkt an der Bande maßgebend für die Bewertung.

Durchgänge: 3, bei 3 verschiedenen Endzonen für B 1.

Punktewertung: Jeder gültige Versuch zählt 5 Punkte.

Zweck der Übung: Der Schüler lernt, bei gleich bleibendem Tempo die Wirkung des Rückziehers durch unterschiedliche Anspielhöhe zu dosieren.

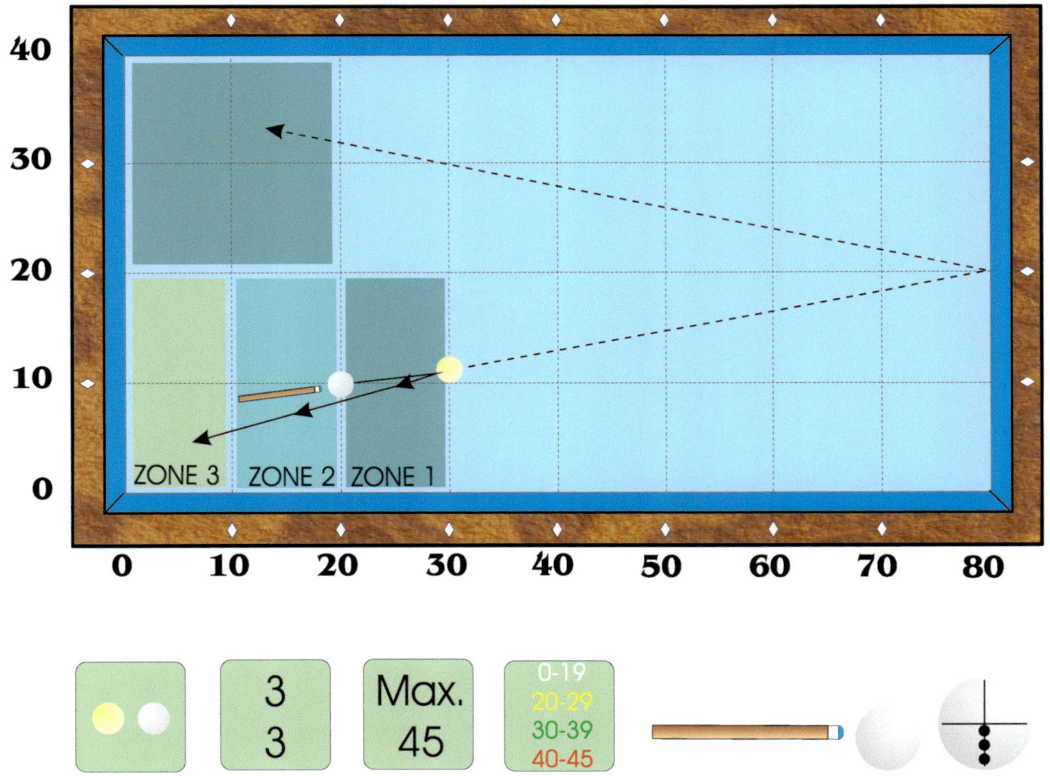

3
3

Max.
45

0-19
20-29
30-39
40-45

RÜCKZIEHER 2

Aufgabe: Wie bei der vorangegangenen Übung, mit dem Unterschied, dass B 2 über zwei kurze Banden in die eingezeichnete Zone läuft. B 1 soll mit Rückziehereffekt gespielt werden und in der für ihn vorgesehenen Zone zu stehen kommen. Das ist bei den ersten drei Versuchen die Zone 1, danach bei drei Versuchen die Zone 2, und anschließend die Zone 3. Es gilt für beide Bälle, dass mindestens die Hälfte des Balles innerhalb der Zone sein muss.

Durchgänge: 3, bei 3 verschiedenen Endzonen für B 1.

Punktewertung: Jeder gültige Versuch zählt 5 Punkte.

Zweck der Übung: Der Schüler lernt, bei gleich bleibendem Tempo die Wirkung des Rückziehers durch unterschiedliche Anspielhöhe zu dosieren.

Kommentar: Das höhere Tempo macht diese Übung etwas schwieriger, vor allem bei Zone 2. Aus diesem Grund sind auch die zu erreichenden Punktewerte etwas niedriger angesetzt.

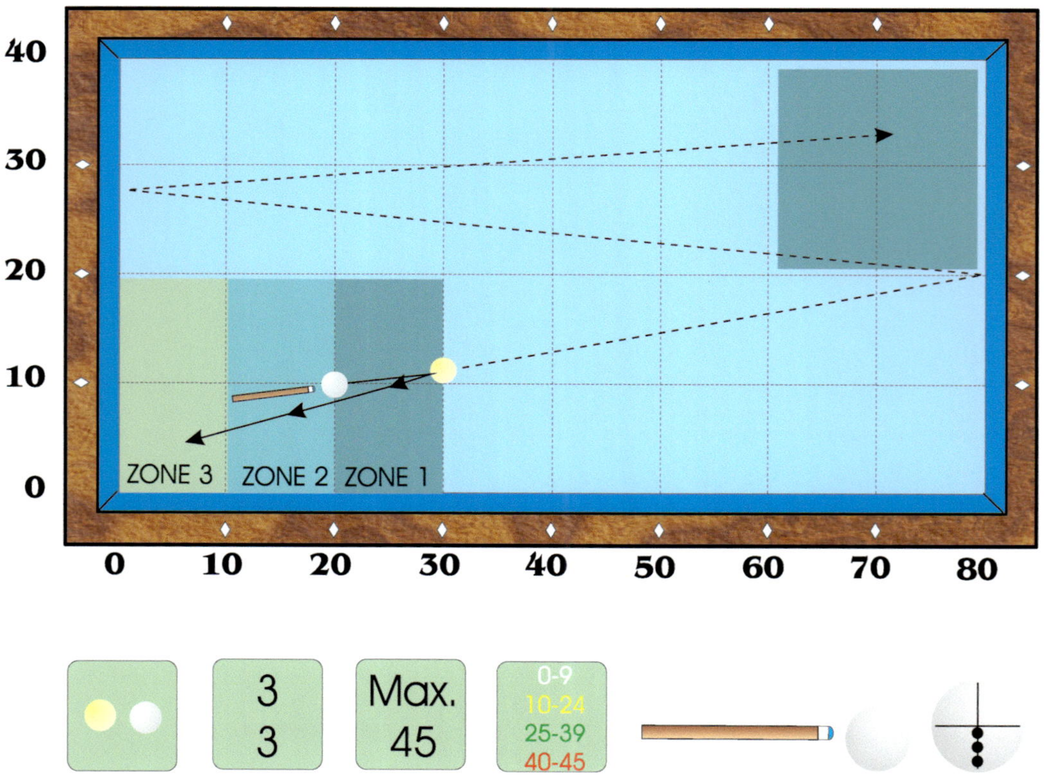

RÜCKZIEHER 3

Aufgabe: B 1 und B 2 werden, wie in der Grafik eingezeichnet, aufgestellt. B 1 bei (20/10) und B 2 bei (50/15). B 1 trifft B 2 maximal voll und mit so viel Tempo, dass er über zwei Banden in Zone 4 zum Stehen kommt. Der Spielball wird mit maximalem Rückläufereffekt gespielt, so dass er es im Idealfall bis Zone 3 schafft.

Durchgänge: 5, Die Werte der 5 Versuche werden addiert.

Punktewertung: Kommt B 1 nur bis in Zone 1, zählt der Versuch 2 Punkte, in Zone 2 6 Punkte und in Zone 3 10 Punkte. Berührt B 1 die lange Bande, entscheidet dieser Berührungspunkt, welche Zone gewertet wird. Bleibt B 2 nicht in Zone 4, werden die erreichten Punkte des jeweiligen Versuchs halbiert.

Zweck der Übung: Bei dieser Übung geht es darum, den maximalen Rückläufereffekt zu erzielen, wobei die Stoßstärke vorgegeben ist. Eine zusätzliche Schwierigkeit ist es , bei der hohen Stoßstärke B 2 perfekt zu treffen.

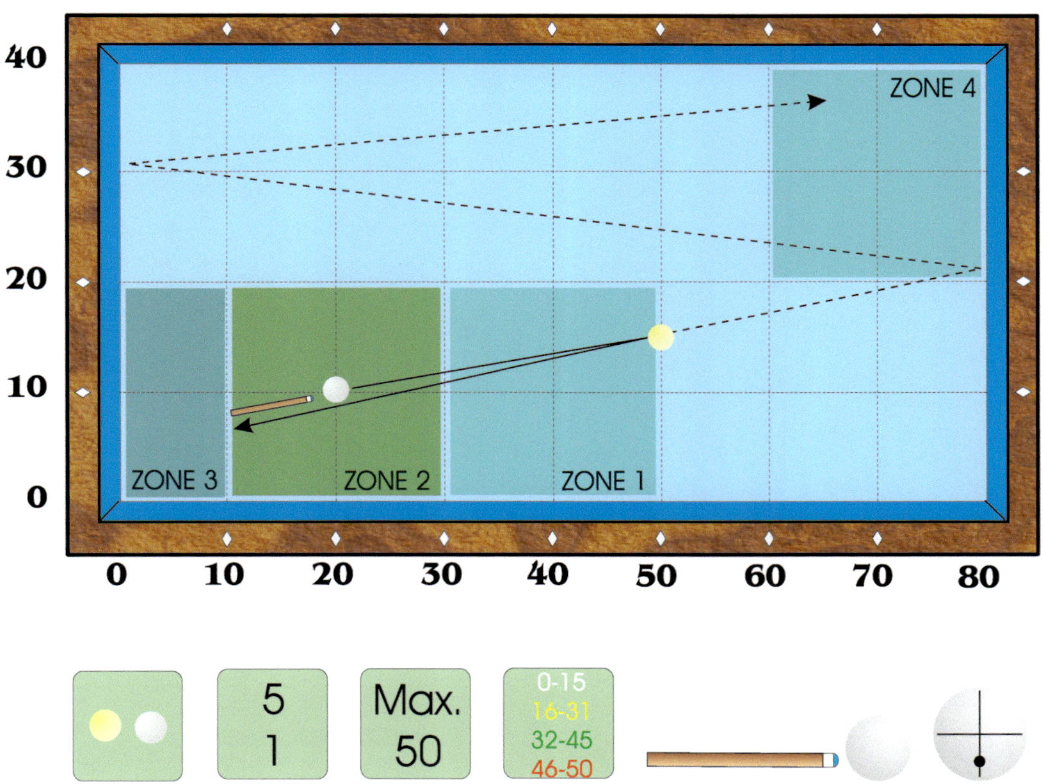

NACHLÄUFER 1

Aufgabe: B 1 trifft B 2 maximal voll, so dass dieser über die kurze Bande in die eingezeichnete Zone läuft. B 1 soll mit Nachläufereffekt gespielt werden und in der für ihn vorgesehenen Zone zu stehen kommen. Das ist bei den ersten drei Versuchen die Zone 1, danach bei drei Versuchen die Zone 2, und anschließend die Zone 3. Es gilt für beide Bälle, dass mindestens die Hälfte des Balles innerhalb der Zone sein muss.

Durchgänge: 3, bei 3 verschiedenen Endzonen für B 1.

Punktewertung: Jeder gültige Versuch zählt 5 Punkte.

Zweck der Übung: Der Schüler lernt, bei gleich bleibendem Tempo die Wirkung des Nachläufers durch unterschiedliche Anspielhöhe zu dosieren.

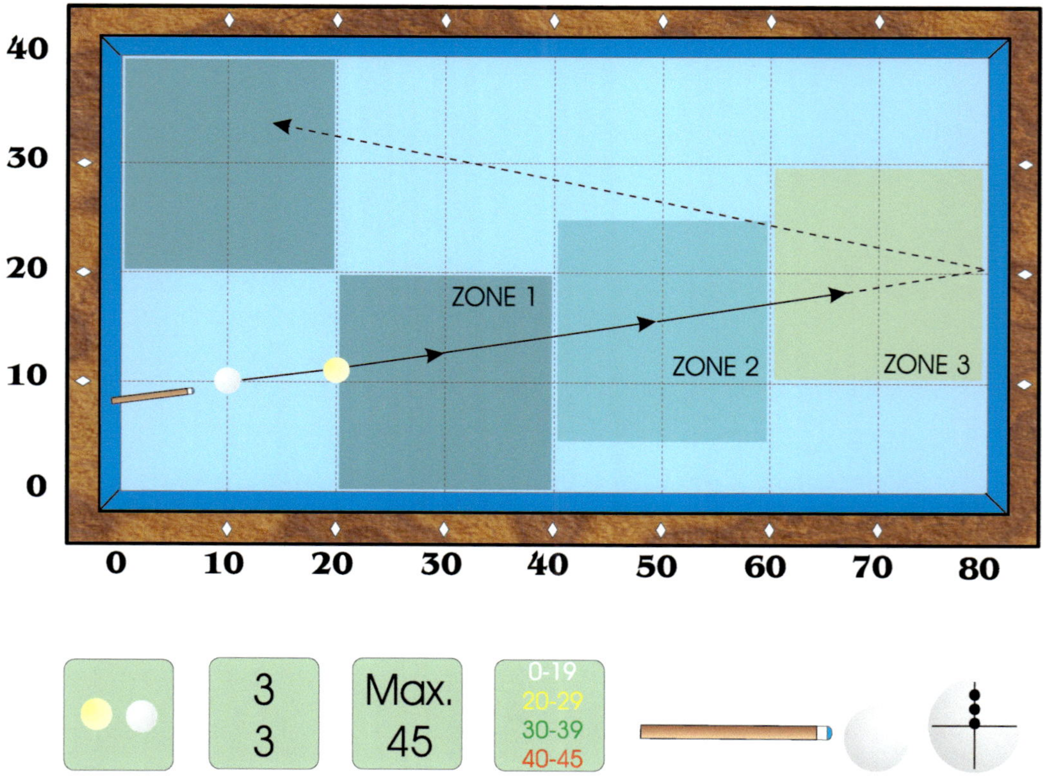

3
3

Max.
45

0-19
20-29
30-39
40-45

NACHLÄUFER 2

Aufgabe: Wie bei der vorangegangenen Übung, mit dem Unterschied, dass B 2 über zwei kurze Banden in die Zone 3 läuft. B 1 soll mit Nachläufereffekt gespielt werden und in der für ihn vorgesehenen Zone zu stehen kommen. Das ist bei den ersten drei Versuchen die Zone 1, danach bei drei Versuchen die Zone 2, und anschließend die Zone 3. Es gilt für beide Bälle, dass mindestens die Hälfte des Balles innerhalb der Zone sein muss.

Durchgänge: 3, bei 3 verschiedenen Endzonen für B 1.

Punktewertung: Jeder gültige Versuch zählt 5 Punkte.

Zweck der Übung: Der Schüler lernt, bei gleich bleibendem Tempo die Wirkung des Nachläufers durch unterschiedliche Anspielhöhe zu dosieren.

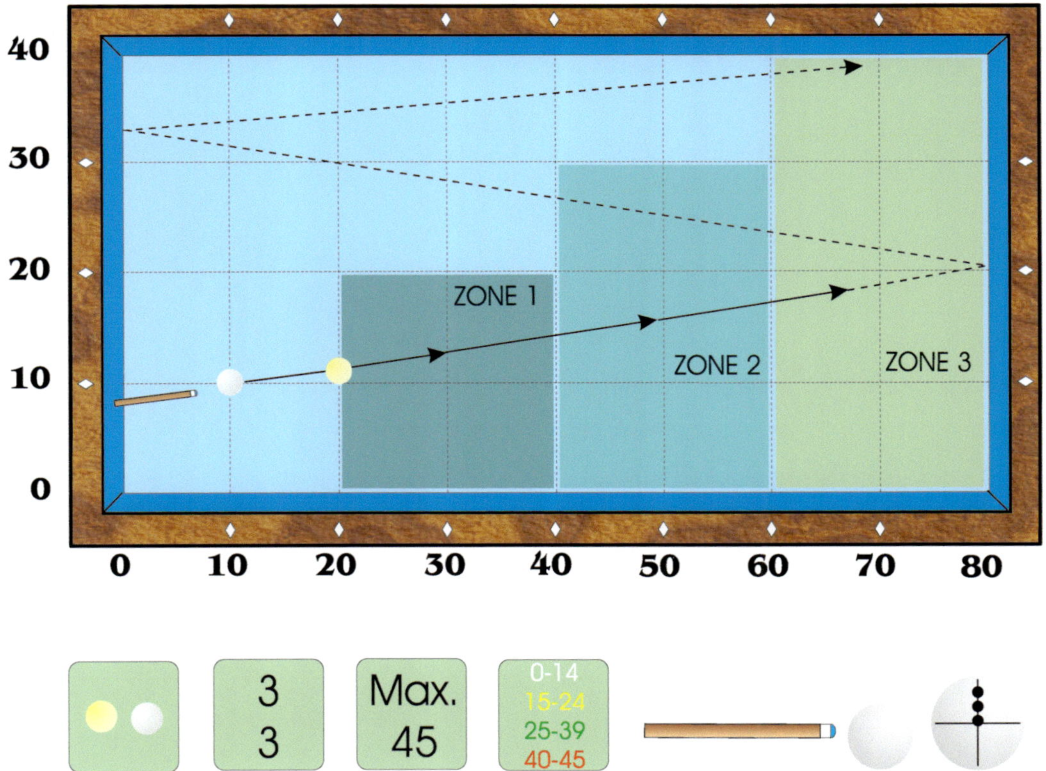

NACHLÄUFER 3

Aufgabe: B 1 und B 2 werden, wie in der Grafik eingezeichnet, aufgestellt. B 1 bei (30/12) und B 2 bei (50/15). B 1 trifft B 2 maximal voll und mit so viel Tempo, dass er über zwei Banden in Zone 4 zum Stehen kommt. Der Spielball wird mit maximalem Nachläufereffekt gespielt, so dass er es im Idealfall bis Zone 3 schafft. Wird B 2 leicht rechts getroffen, ist der Stoß auch gültig, sofern B 2 die Bandenfolge "Kurz-Kurz" absolviert

Durchgänge: 5, Die Werte der 5 Versuche werden addiert.

Punktewertung: Kommt B 1 nur bis in Zone 1, zählt der Versuch 2 Punkte, in Zone 2 6 Punkte und in Zone 3 10 Punkte. Berührt B 1 die lange Bande, entscheidet dieser Berührungspunkt, welche Zone gewertet wird. Bleibt B 2 nicht in Zone 4, werden die erreichten Punkte des jeweiligen Versuchs halbiert.

Zweck der Übung: Bei dieser Übung geht es darum, den maximalen Nachläufereffekt zu erzielen, wobei die Stoßstärke vorgegeben ist. Eine zusätzliche Schwierigkeit ist es , bei der hohen Stoßstärke B 2 perfekt zu treffen.

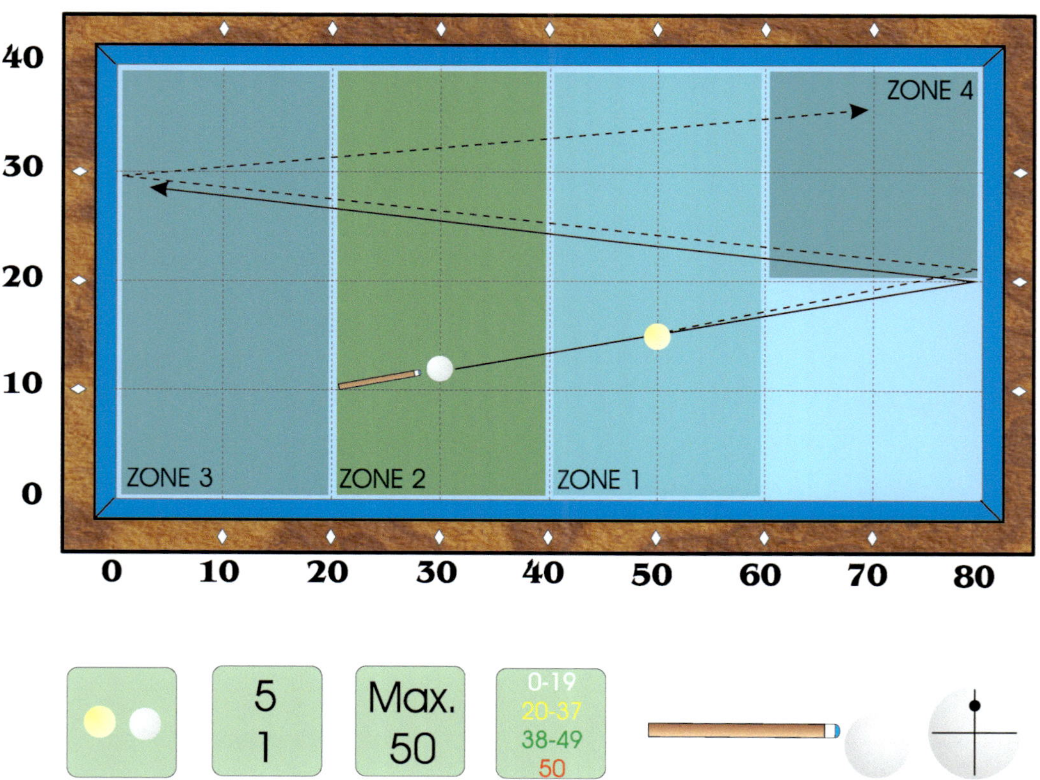

DRUCKSTOSS

Aufgabe: B 1(10/25) und (10/15) soll B 2(20/25), (20/15), (25/25), (25/15) und B 3(18/20) und (23/20) treffen. Der B 2-Treff und das Tempo sollen so gewählt werden, dass B 2 in die eingezeichnete Zone zurückläuft und B 1 den B 3 nur leicht verschiebt. Dabei gilt der Stoß als gültig, wenn der Abstand zwischen B 1 und B 3 nach dem Stoß weniger als eine Ballbreite ist.

Durchgänge: 3, bei 4 verschiedenen Positionen.

Punktewertung: Jede gültige Karambolage zählt 4 Punkte.

Zweck der Übung: Der Schüler lernt Tempo und einen vollen B 2-Treff auf geeignete Weise zu kombinieren, so dass der Spielball nahe bei B 3 bleibt.

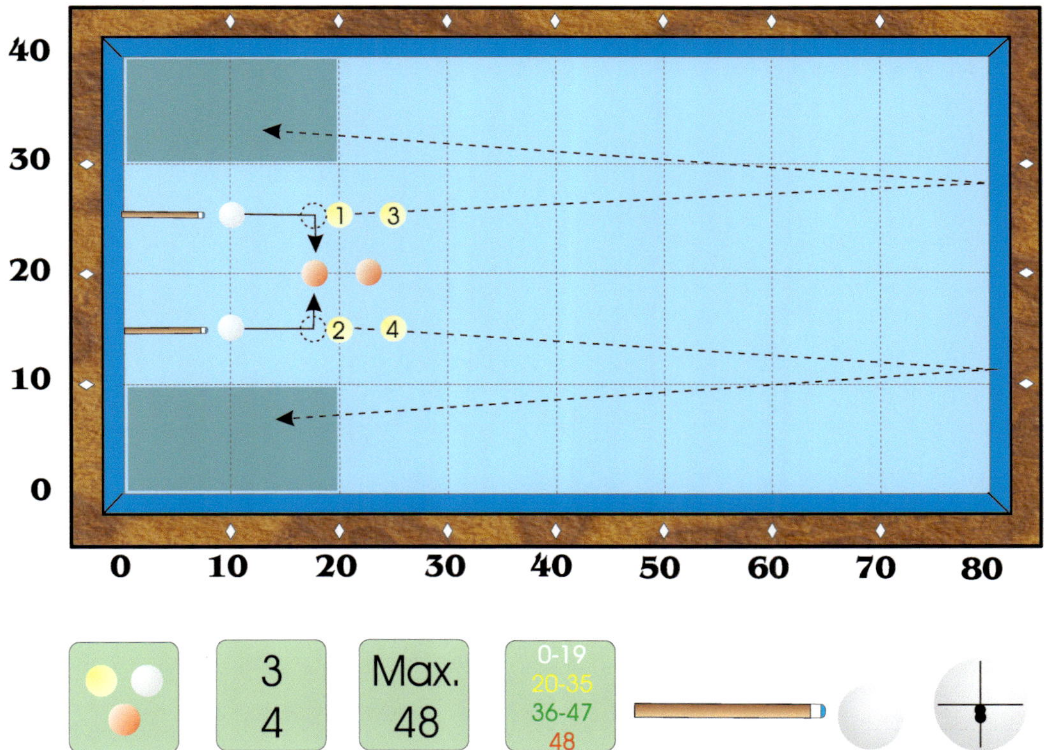

TEMPOKONTROLLE KOMBINIERT MIT RÜCK- UND NACHLÄUFER 1

Aufgabe: B 1 soll B 2 maximal voll treffen, so dass B 2 über die lange Bande wieder Richtung B 1 zurückkommt. Dabei sollen B 1 und B 2 in den eingezeichneten Quadranten liegen bleiben. Bei den Stellungen 1 und 4 benötigt B 1 etwas Rückziehereffekt, bei den Stellungen 2 und 5 Stoppballeffekt und bei den Stellungen 3 und 6 Nachläufereffekt. Bei den Stellungen 1-3 stehen B 1 und B 2 eine Ballbreite auseinander. Bei den Stellungen 4-6 beträgt der Abstand lediglich einen Kreidedurchmesser.

Durchgänge: 2, bei 6 verschiedenen Positionen.

Punktewertung: Jeder gelungene Versuch zählt 4 Punkte.

Zweck der Übung: Der Schüler lernt Tempo und Anspielhöhe auf geeignete Weise zu kombinieren.

Tipp: Der kurze Abstand zwischen den Bällen bei den Positionen 4-6 erfordert eine eigene Technik: Kurzer Schnabel, lockeres Handgelenk, beim Stoßen Queue schnell zurückziehen.

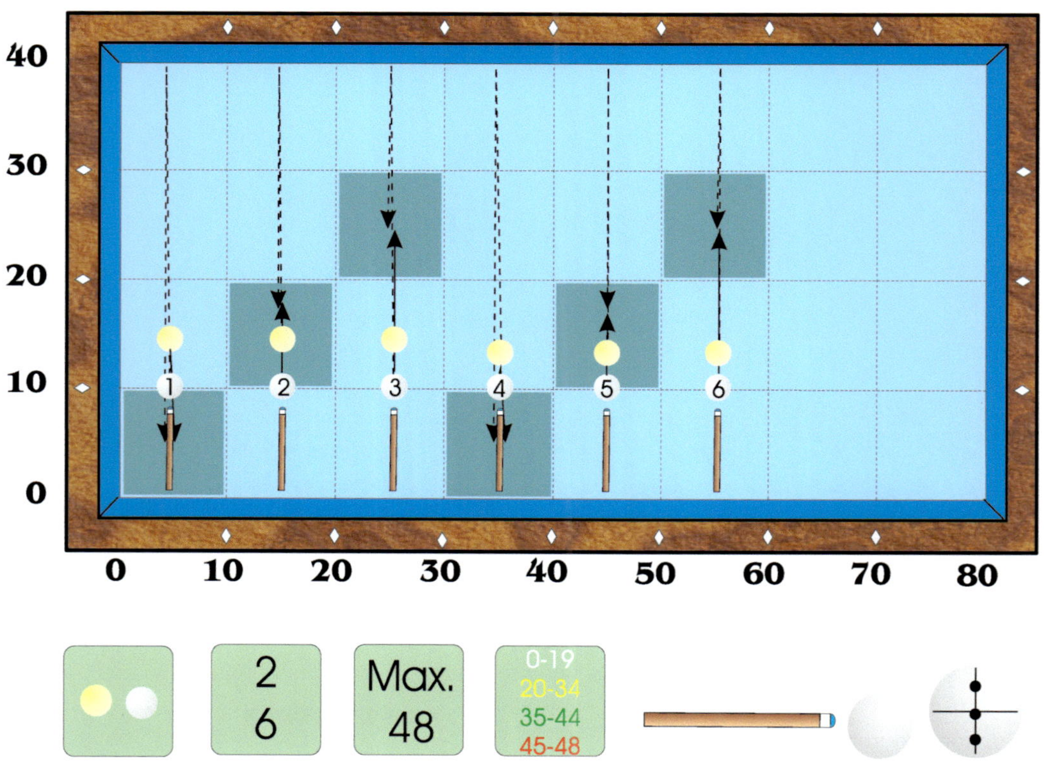

TEMPOKONTROLLE KOMBINIERT MIT RÜCK- UND NACHLÄUFER 2

Aufgabe: B 1 soll B 2 maximal voll treffen, so dass B 2 über die kurze Bande Richtung B 1 zurückkommt. Dabei sollen beide Bälle in der eingezeichneten Zone zum Stehen kommen. Beim ersten Stoß benötigt B 1 etwas Rückziehereffekt, beim zweiten Stoppballeffekt, beim dritten Nachläufereffekt.

Durchgänge: 3, bei 3 verschiedenen Positionen.

Punktewertung: Jede gültige Karambolage zählt 5 Punkte.

Zweck der Übung: Der Schüler lernt Tempo und Anspielhöhe auf geeignete Weise zu kombinieren.

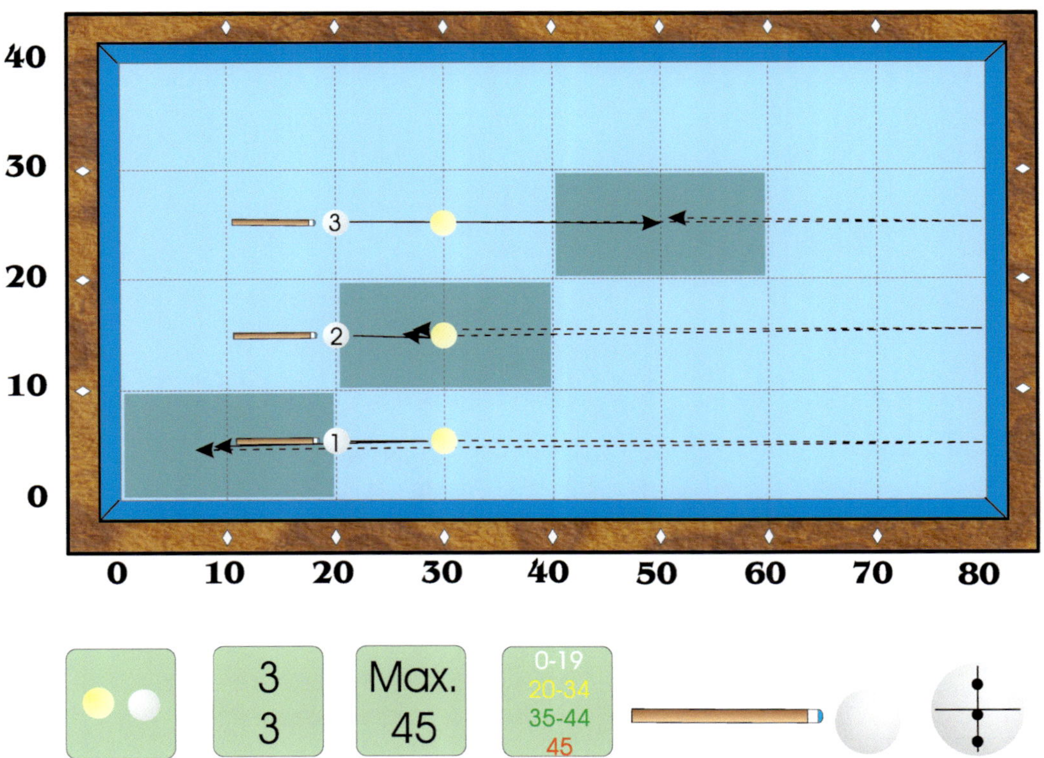

3
3

Max.
45

0-19
20-34
35-44
45

DAS TREFFEN VON B 2, 1

Aufgabe: B 1 soll B 2 und B 3 treffen, wobei B 3 entsprechend der Grafik variiert wird. Die B 3-Koordinaten der langen Bande sind: (32,28,24,20 und 48,52,56,60). Achtung! Vor allem bei dieser Übung müssen die Bälle absolut präzise positioniert werden.
Der Spielball wird etwas über der Mitte genommen, ohne Effet und mit wenig Tempo gespielt.

Durchgänge: 3, bei 8 verschiedenen Positionen.

Punktewertung: Jede gültige Karambolage zählt 2 Punkte.

Zweck der Übung: Der Schüler lernt den Treff auf B 2 zu dosieren. Dabei wird er feststellen, dass die Positionen 1 und 5 am schwierigsten und die Positionen 3 und 7 am leichtesten zu erreichen sind. Das führt zu folgenden wichtigen Erkenntnissen:
- Ein sehr dünner B 2-Treff ist immer heikler und bietet weniger Fehlertoleranz
- Ein Treff in der Nähe von 1/2 voll bietet die größte Fehlertoleranz

Tipp: Bei schwachen Stößen, bei denen es in erster Linie auf den B 2-Treff ankommt, ist ein offener Bock die bessere Wahl.

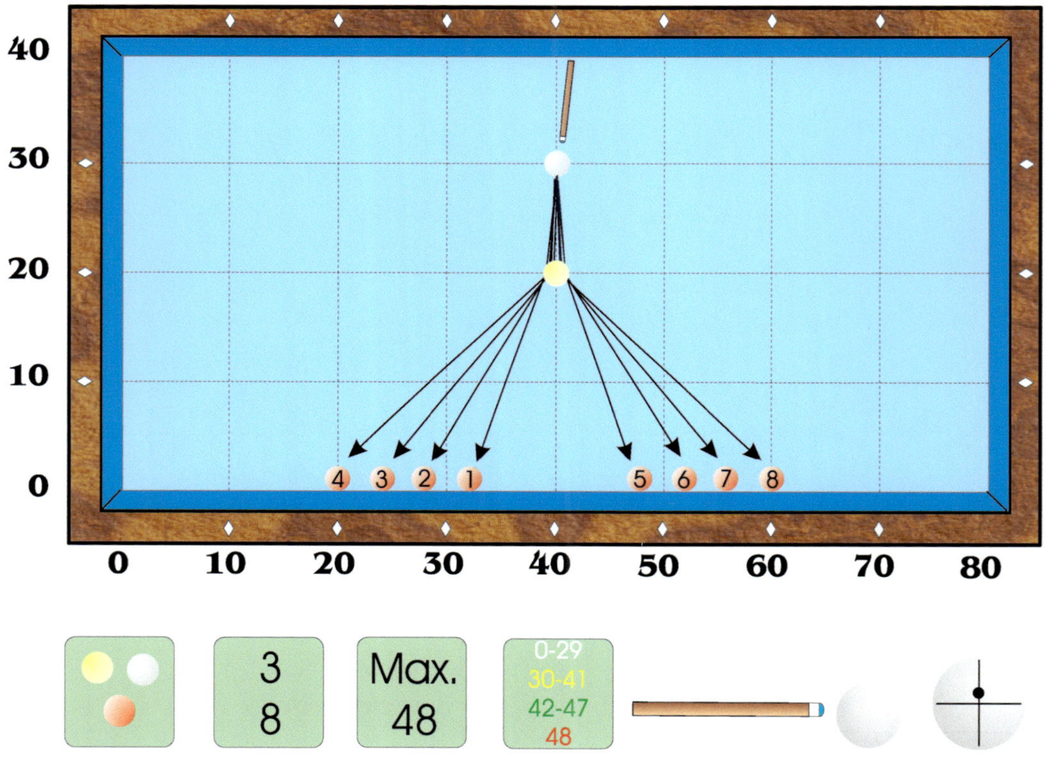

DAS TREFFEN VON B 2, 2

Aufgabe: Der Spielball soll B 2 so dünn wie möglich treffen und über eine Bande in Zone 3 zurück kommen. B 2 soll sich dabei so wenig wie möglich bewegen und in Zone 1 oder 2 zu stehen kommen.

Durchgänge: 10, wobei B 2 5 mal links und fünf mal rechts getroffen wird.

Punktewertung: Jeder Versuch bringt nur dann Punkte, wenn der Spielball mindestens bis zu Zone 3 kommt, d.h. er darf die Zone 3 auch wieder verlassen. Bleibt B 2 in Zone 1, zählt der Versuch 5 Punkte, bleibt er in Zone 2 zählt er 3 Punkte.

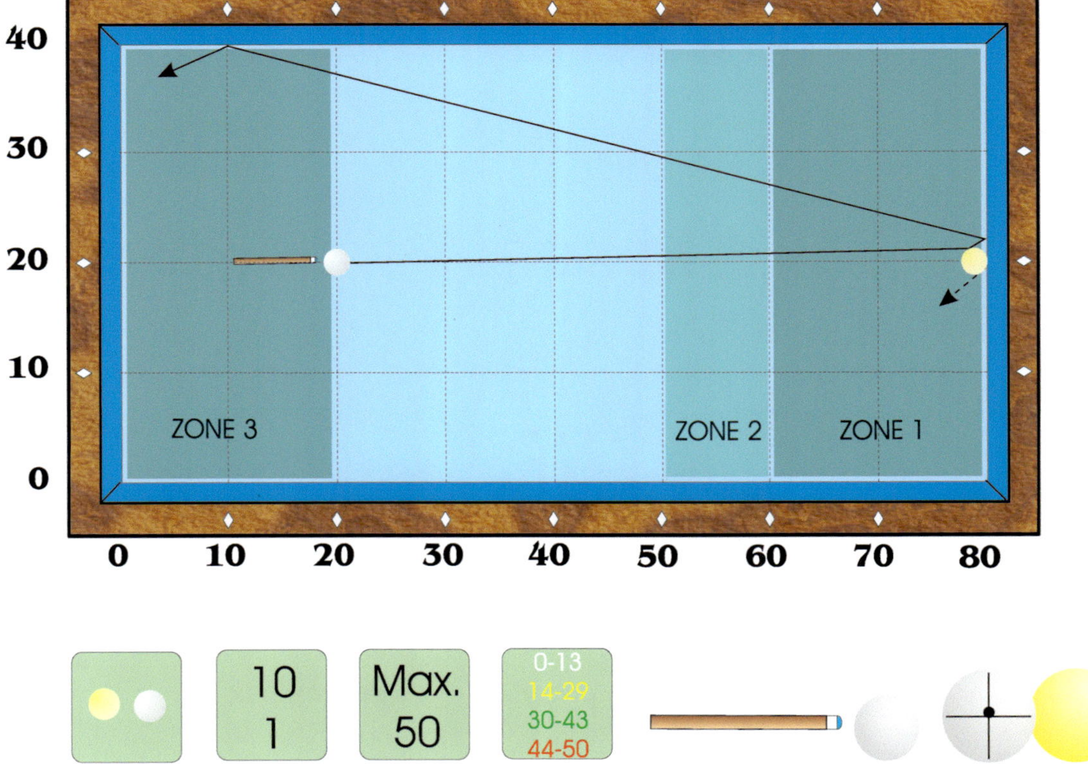

DAS TREFFEN VON B 2 MIT NACHLÄUFEREFFEKT 1.1

Aufgabe: B 1 soll B 2 und B 3 treffen, wobei B 2 rechts (aus Stoßrichtung gesehen) von dem Markierungsball mit den Koordinaten (48/01) passieren muss. B 3 wird entsprechend der Grafik auf 4 Positionen variiert: (37/01),(34/01),(31/01),(28/01). Der Spielball wird deutlich über der Mitte genommen und ohne Effet gespielt.

Durchgänge: 3, bei 4 verschiedenen Positionen.

Punktewertung: Jede gültige Karambolage zählt 2 Punkte.

Zweck der Übung: Der Schüler lernt, den sehr empfindlichen B 2-Treff bei Nachläufereffekt zu dosieren.

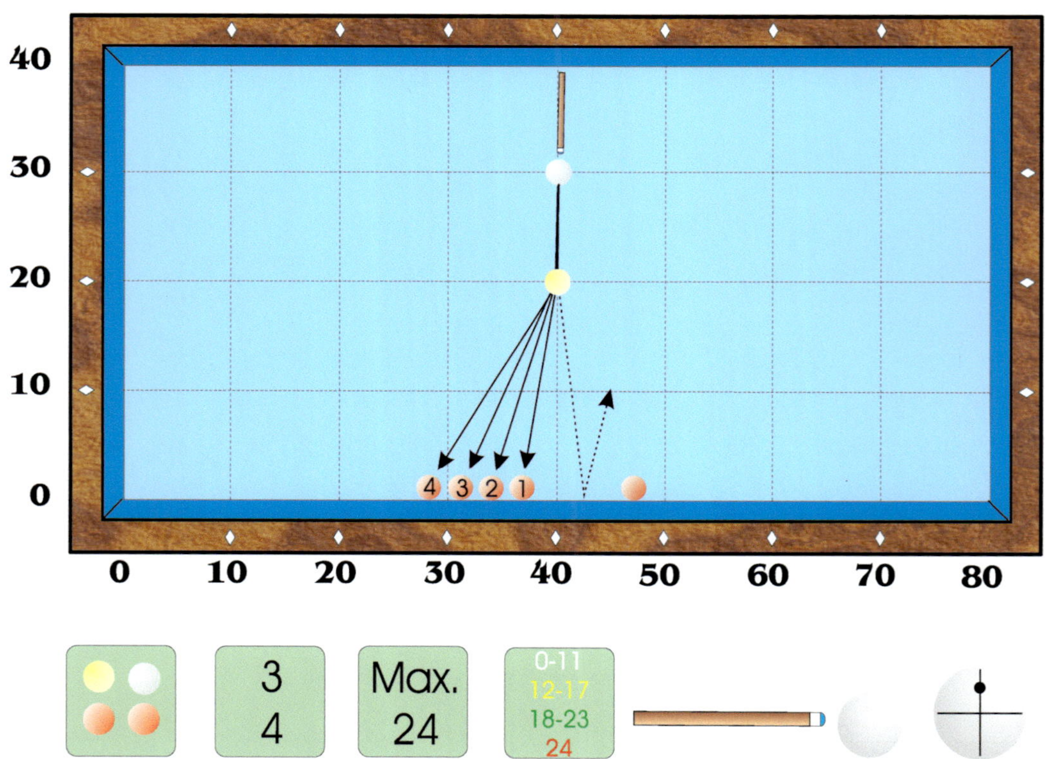

DAS TREFFEN VON B 2 MIT NACHLÄUFEREFFEKT 1.2

Aufgabe: B 1 soll B 2 und B 3 treffen, wobei B 2 links (aus Stoßrichtung gesehen) von dem Markierungsball mit den Koordinaten (32/01) passieren muss. B 3 wird entsprechend der Grafik auf 4 Positionen variiert: (43/01),(46/01),(49/01),(52/01). Der Spielball wird deutlich über der Mitte genommen und ohne Effet gespielt.

Durchgänge: 3, bei 4 verschiedenen Positionen.

Punktewertung: Jede gültige Karambolage zählt 2 Punkte.

Zweck der Übung: Der Schüler lernt, den sehr empfindlichen B 2-Treff bei Nachläufereffekt zu dosieren.

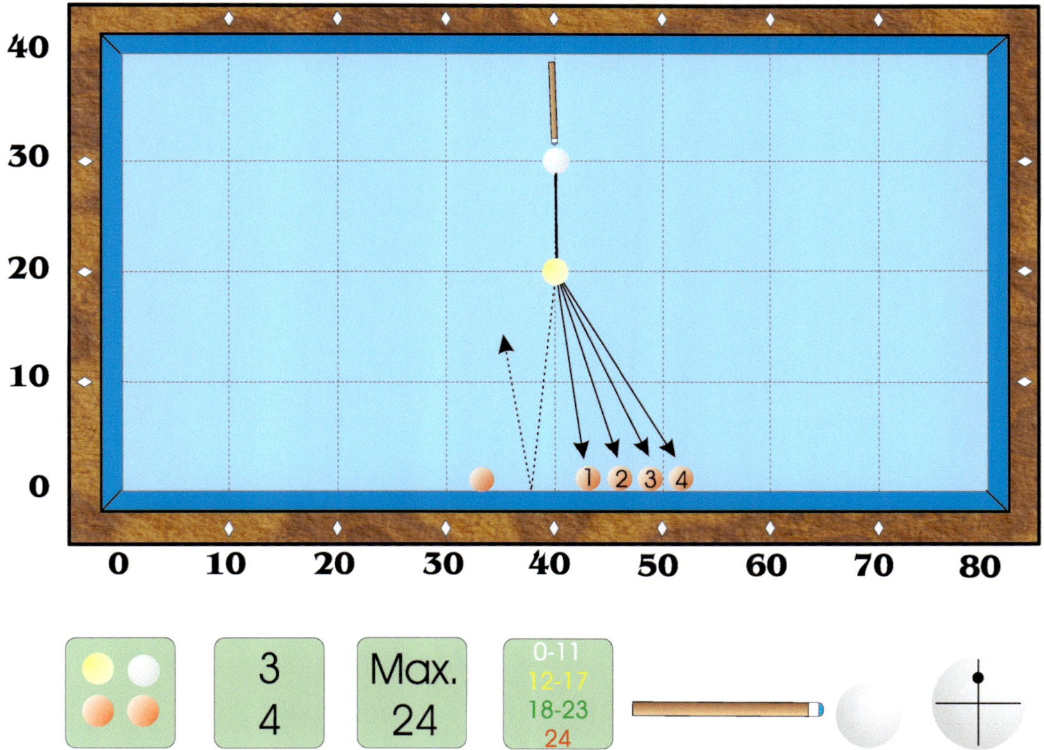

DAS TREFFEN VON B 2 MIT RÜCKZIEHEREFFEKT

Aufgabe: B 1 soll B 2 und B 3 treffen, wobei B 1 immer mit viel Rückziehereffekt und ohne Seiteneffet gespielt wird. Der Punkt ist gültig, wenn B 3 direkt oder über die dem B 3 nahestehende Bande getroffen wird. D.h. bei den Stellungen 2-5 darf die lange Bande nicht getroffen werden und bei den Stellungen 1 und 6 darf die kurze Bande nicht getroffen werden.

Durchgänge: 3, bei 6 verschiedenen Positionen.

Punktewertung: Jede gültige Karambolage zählt 3 Punkte.

Zweck der Übung: Der Schüler bekommt ein Gefühl für den B 2-Treff bei gleichbleibender Rückzieherqualität.

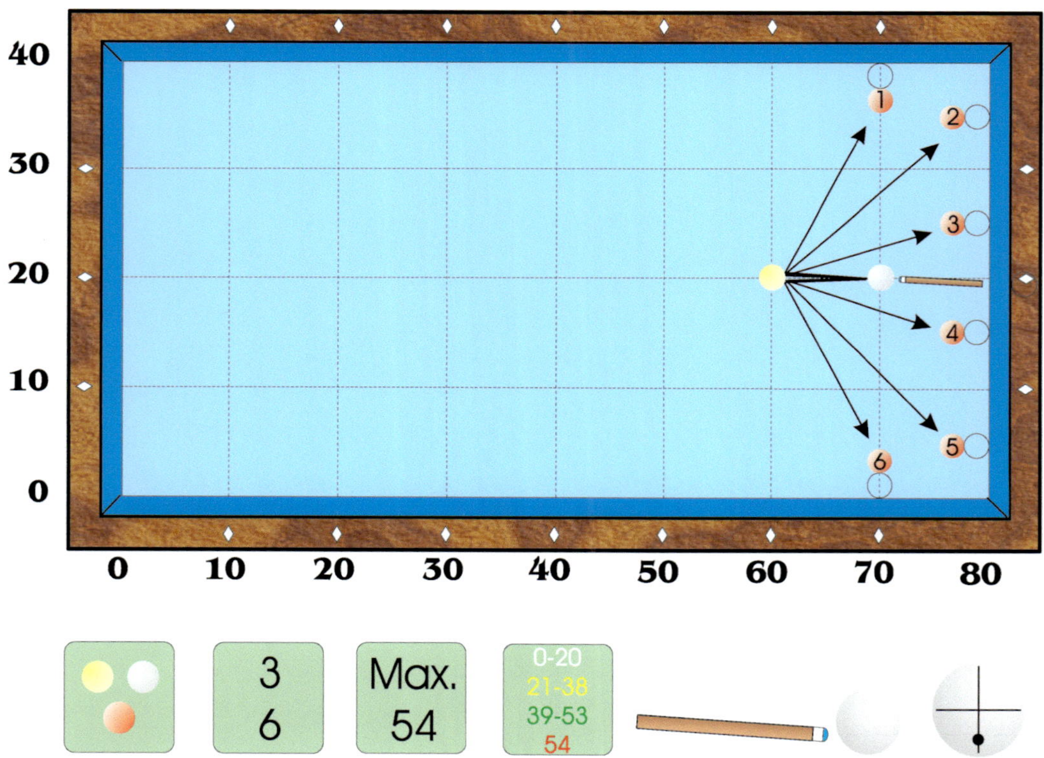

DAS TREFFEN VON B 2 MIT RÜCKZIEHER UND NACHLÄUFER 1.1

Aufgabe: B 1 soll B 2 und B 3 treffen, wobei B 3 entsprechend der Grafik variiert wird und immer mit dem Abstand einer Queuekreide zur Bande aufgestellt wird. Die Position 1 kann nur mit Nachläufer und sehr vollem B 2-Treff erreicht werden. Bei den Positionen 6-8 werden zwei rote Bälle aufgestellt, um die Aufgabe zu erleichtern. Die Koordinate der langen Bande für die Positionen 1 und 13 ist37.

Durchgänge: 1, bei 13 verschiedenen Positionen.

Punktewertung: Jede gültige Karambolage zählt 2 Punkte.

Zweck der Übung: Der Schüler lernt den B 2-Treff und die Anspielhöhe des Spielballs auf geeignete Weise zu kombinieren. Interessant dabei ist, dass bei vorgegebener Position von B 1 und B 2 fast jeder Bandenpunkt des Tisches erreicht werden kann (die rechte Tischhälfte wird mit linkem B 2-Treff abgedeckt).

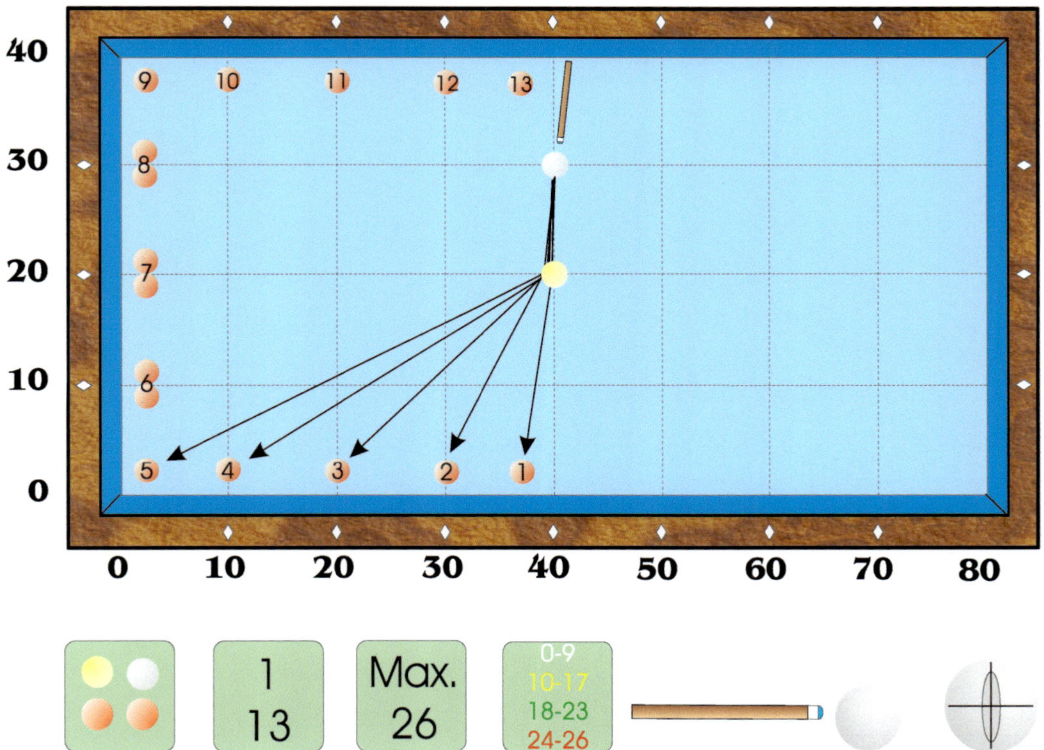

DAS TREFFEN VON B 2 MIT RÜCKZIEHER UND NACHLÄUFER 1.2

Aufgabe: B 1 soll B 2 und B 3 treffen, wobei B 3 entsprechend der Grafik variiert wird und immer mit dem Abstand einer Queuekreide zur Bande aufgestellt wird. Die Position 1 kann nur mit Nachläufer und sehr vollem B 2-Treff erreicht werden. Bei den Positionen 6-8 werden zwei rote Bälle aufgestellt, um die Aufgabe zu erleichtern. Die Koordinate der langen Bande für die Positionen 1 und 13 ist 43.

Durchgänge: 1, bei 13 verschiedenen Positionen.

Punktewertung: Jede gültige Karambolage zählt 2 Punkte.

Zweck der Übung: Der Schüler lernt den B 2-Treff und die Anspielhöhe des Spielballs auf geeignete Weise zu kombinieren. Interessant dabei ist, dass bei vorgegebener Position von B 1 und B 2 fast jeder Bandenpunkt des Tisches erreicht werden kann (die linke Tischhälfte wird mit rechtem B 2-Treff abgedeckt).

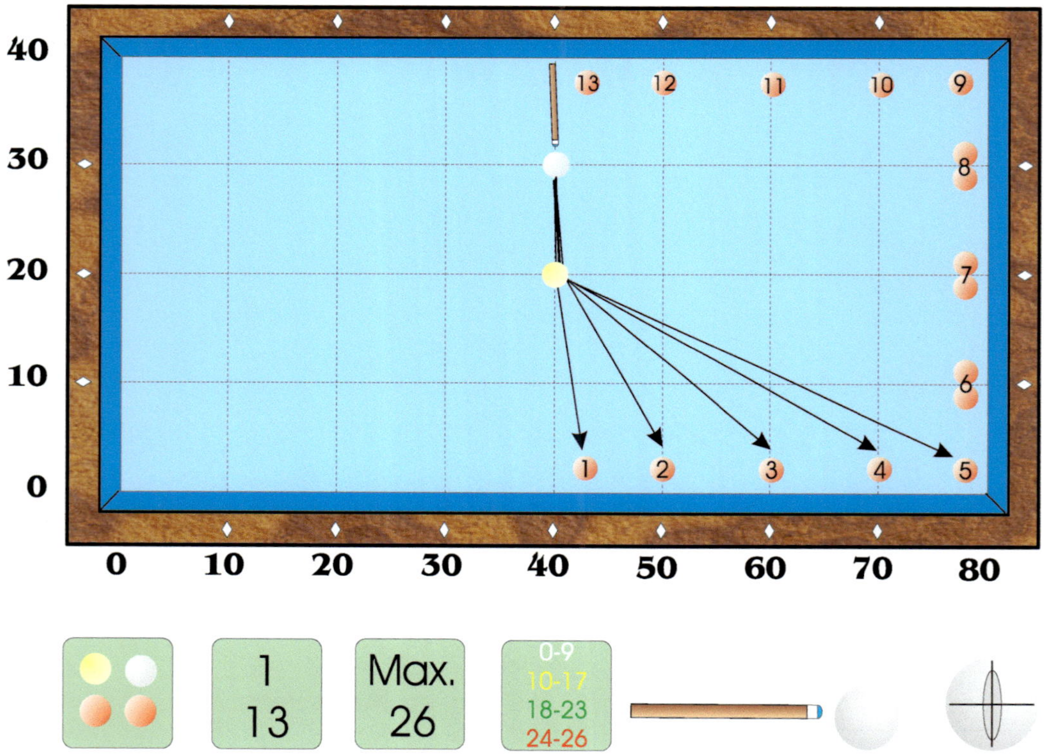

KONTROLLE VON B 2

Aufgabe: Die Bälle werden entsprechend der Grafik aufgebaut. Der Spielball soll B 2 so treffen, dass B 2 den B 3 trifft, dabei darf B 2 vor der Karambolage mit B 3 die dem B 3 nahestehende Bande vorher berühren. B 3 wird, so wie in der Grafik eingezeichnet, der Reihe nach verschoben und dabei immer eine Kreidebreite von der Bande entfernt aufgestellt. Bei den Stellungen 4 und 5 werden zwei Bälle aufgestellt, um die Aufgabe zu erleichtern.

Durchgänge: 2, bei 8 verschiedenen B 3-Positionen.

Punktewertung: Jeder gültige Versuch zählt 3 Punkte.

Zweck der Übung: Der Schüler lernt, B 2 exakt zu dirigieren, was in den Seriendisziplinen Grundvoraussetzung für Versammlungsstöße ist. Im Dreiband hilft die B 2-Kontrolle beim Tuschvermeiden und für das Fortsetzungsspiel.

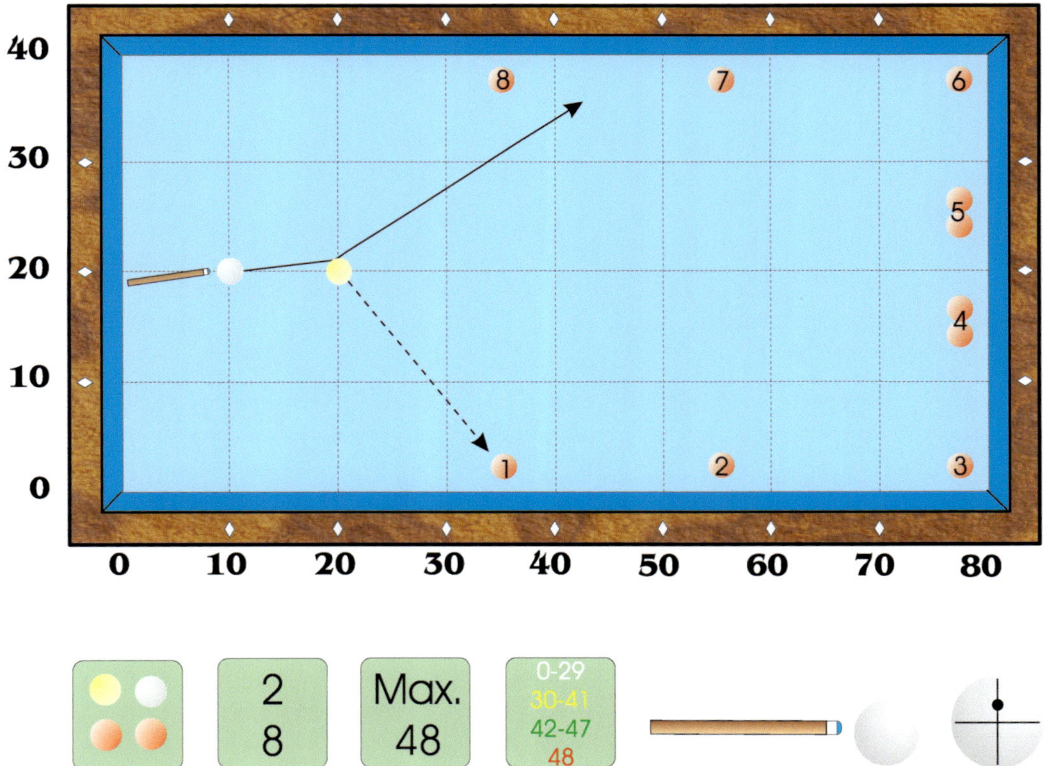

BANDENATTACKE

Aufgabe: B 1 soll B 2 in verschiedenen Positionen über eine Bande treffen, wobei B 1 immer auf den gleichen Punkt an der langen Bande gespielt wird. Der anzuvisierende Punkt ist der Mitteldiamant der langen Bande.
Der erste Stoß ist ein Teststoß (kommt nicht in die Wertung), der ganz ruhig ausgeführt wird (gestrichelte Linie). Er dient nur dazu, den Tisch kennen zu lernen.
Bei den ersten zwei Positionen kann der Spielball im Zentrum genommen werden, wobei die zweite Position mehr Tempo benötigt. Für die dritte Position wird B 1 tief genommen und mit ausreichend Tempo gespielt.

Durchgänge: 3, bei 3 verschiedenen B 2-Positionen.

Punktewertung: Jeder gültige Versuch zählt 5 Punkte.

Zweck der Übung: Der Schüler lernt den Effekt der Bandenattacke kennen und bekommt ein Gefühl dafür, wie er den Bandenabschlag mit Tempo und Anspielhöhe kontrollieren kann.

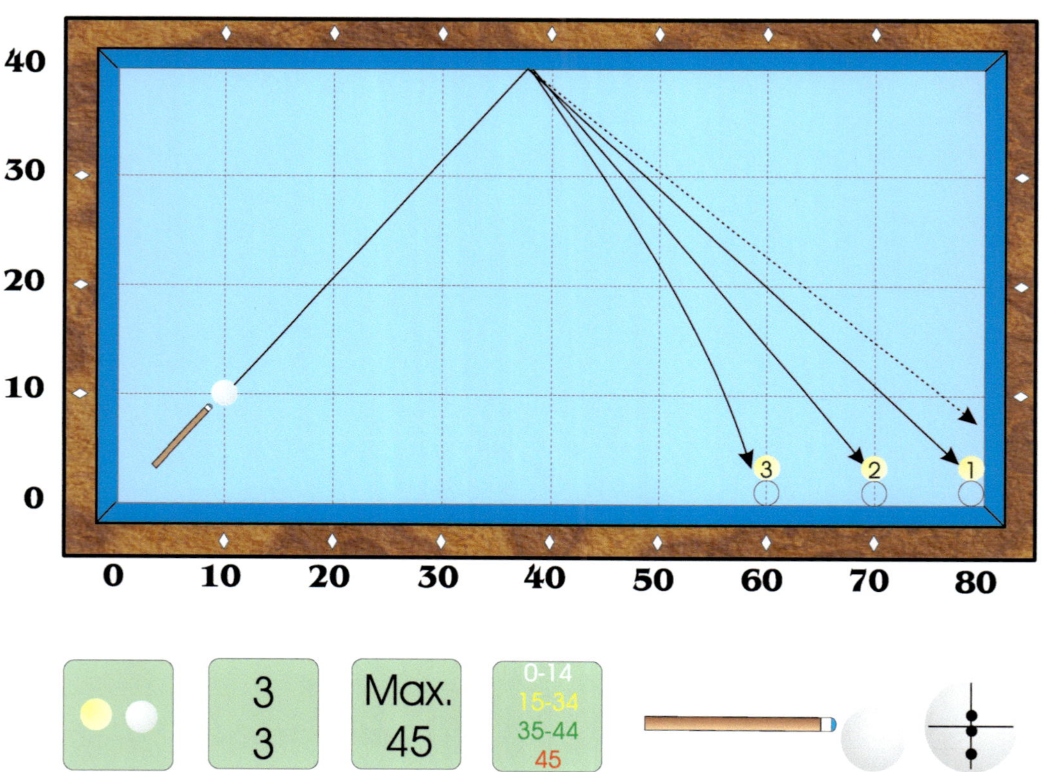

BANDENSPIEL MIT EFFETKONTROLLE 1.1

Aufgabe: Die Bälle werden entsprechend der Grafik positioniert, wobei der Abstand von B 2 und B 3 zur Bande jeweils einen Kreidedurchmesser beträgt. B 1 trifft B 2 und läuft anschließend über die kurze Bande auf B 3. B 2 soll dabei in der vorgeschriebenen Zone zu liegen kommen. B 3 wird der Reihe nach, entsprechend der Grafik, verschoben. Der Stoß soll ruhig und B 1 leicht über der Mitte angespielt werden.

Durchgänge: 2, bei 4 verschiedenen B 3-Positionen.

Punktewertung: Ein Versuch bringt nur Punkte, wenn B 2 in der vorgeschriebenen Zone zu liegen kommt. Jede gültige Karambolage über eine Bande zählt 3 Punkte. Wird vor B 3 auch die lange Bande getroffen, ist der Versuch ebenfalls gültig.

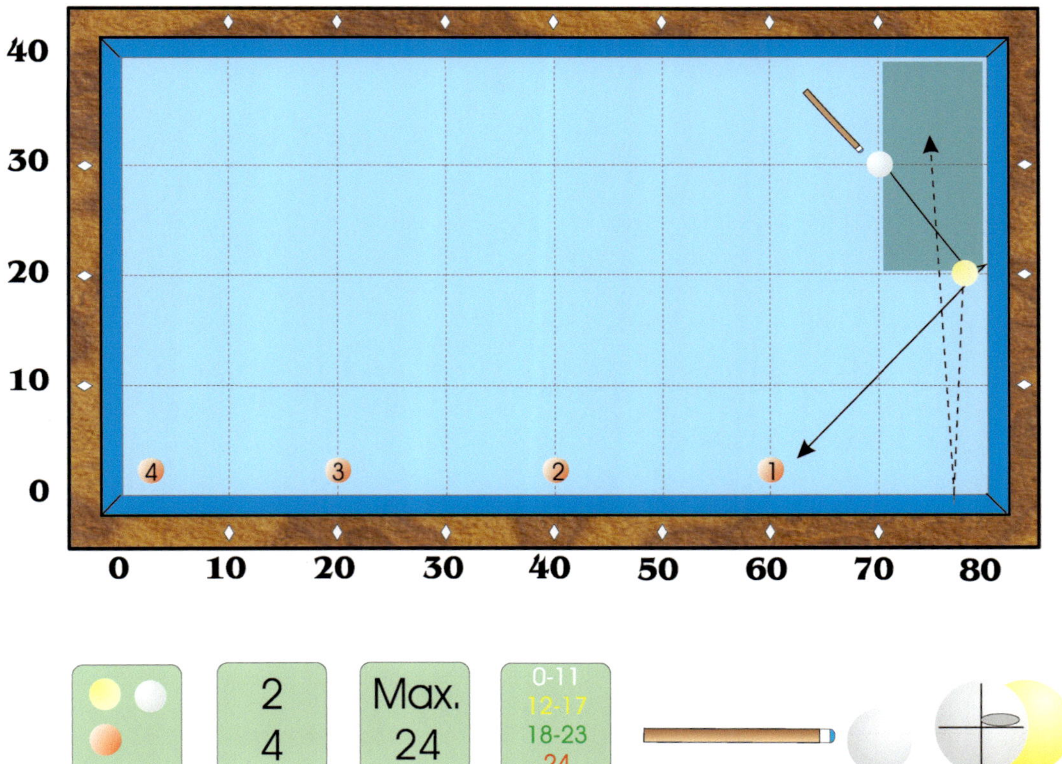

BANDENSPIEL MIT EFFETKONTROLLE 1.2

Aufgabe: Genau wie bei der vorangegangenen Übung.

Durchgänge: 2, bei 4 verschiedenen B 3-Positionen.

Punktewertung: Jede gültige Karambolage über eine Bande zählt 3 Punkte. Ein Versuch bringt nur Punkte, wenn B 2 in der vorgeschriebenen Zone zu liegen kommt. Wird vor B 3 auch die lange Bande getroffen, ist der Versuch ebenfalls gültig.

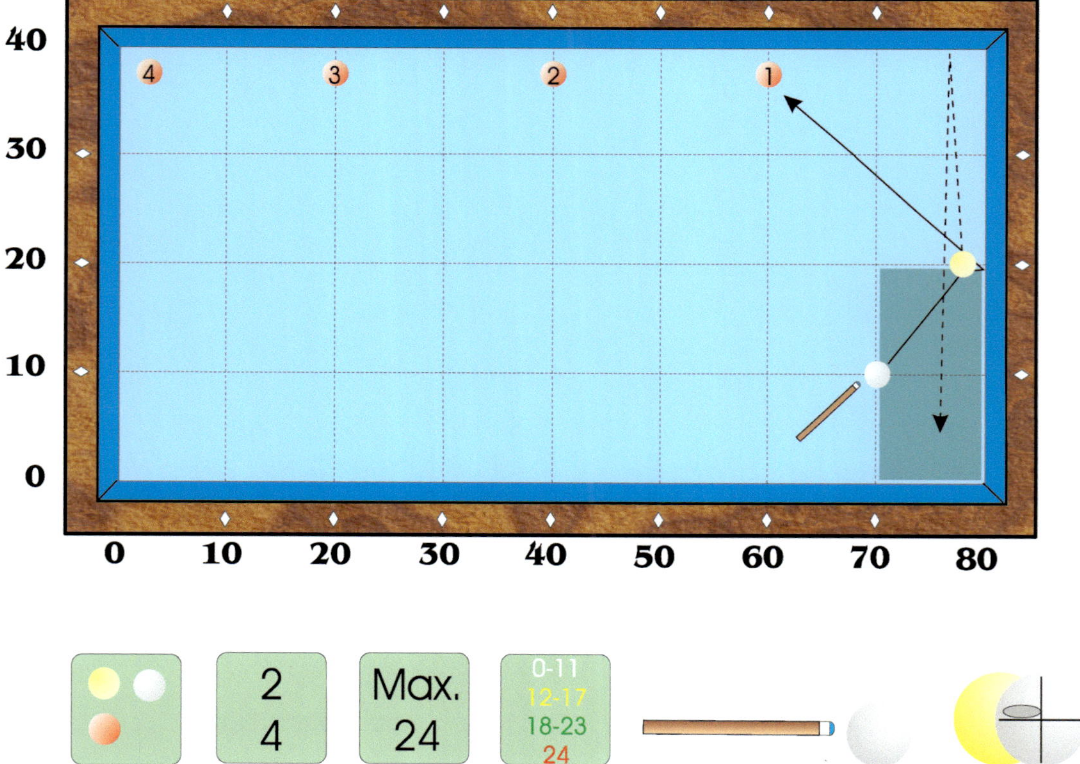

BANDENSPIEL MIT EFFETKONTROLLE 2.1

Aufgabe: B 1 soll B 2 und über die lange Bande B 3 treffen, wobei die dem B 3 nahestehende Bande auch getroffen werden darf. Gleichzeitig soll B 2 über die lange Bande den roten Ball in der Ecke treffen. Die erste B 3-Position hat die Koordinaten (78/18).
Da der B 2-Treff immer gleich bleibt, werden die unterschiedlichen B 3-Positionen über das Dosieren des Effets erreicht. Der Stoß soll ruhig und ohne Rück- und Nachläufereffekte ausgeführt werden. Bei der vierten B 3-Position darf die rechte kurze Bande vor der Karambolage mit B 3 nicht berührt werden.

Durchgänge: 3, bei 4 verschiedenen Endpositionen für B 3.

Punktewertung: Jeder gültige Versuch zählt 2 Punkte. Ein Versuch bringt nur Punkte, wenn B 2 den roten Ball in der unteren linken Ecke trifft.

Zweck der Übung: Der Schüler lernt das Dosieren des Effets bei Einbändern, unter der Voraussetzung eines gleichbleibenden B 2-Treffs.

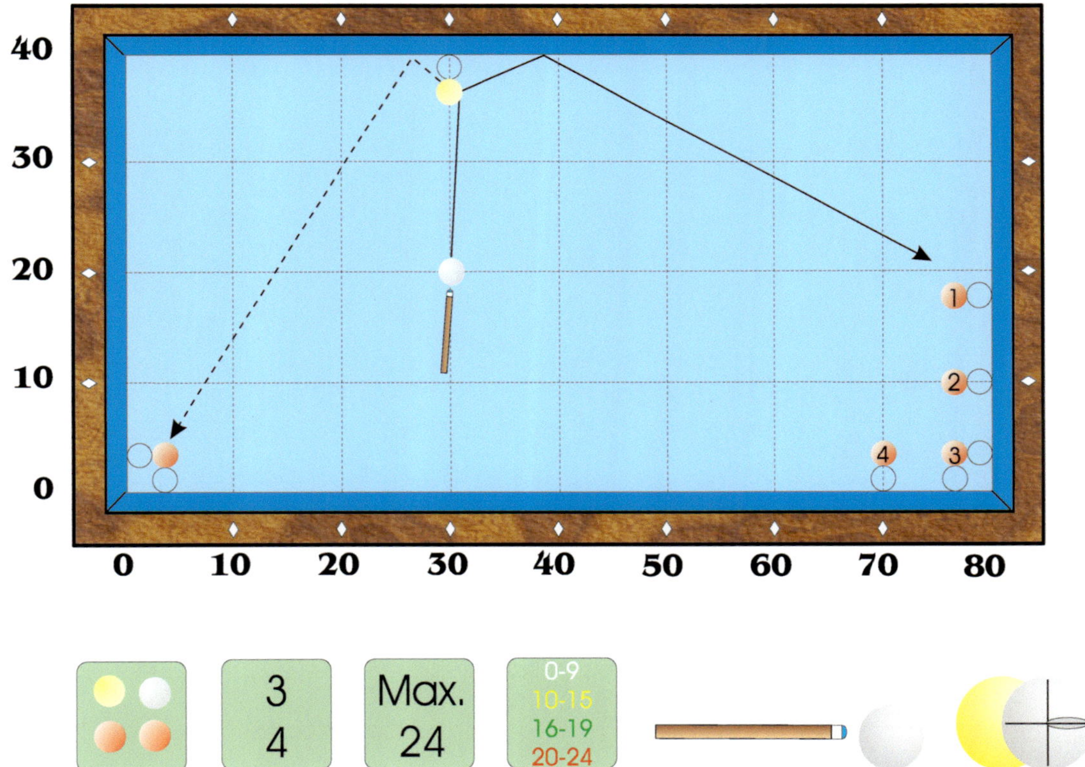

3
4

Max.
24

0-9
10-15
16-19
20-24

BANDENSPIEL MIT EFFETKONTROLLE 2.2

Aufgabe: B 1 soll B 2 und über die lange Bande B 3 treffen, wobei die dem B 3 nahestehende Bande auch getroffen werden darf. Gleichzeitig soll B 2 über die lange Bande den roten Ball in der Ecke treffen. Die erste B 3-Position hat die Koordinaten (02/18).
Da der B 2-Treff immer gleich bleibt, werden die unterschiedlichen B 3-Positionen über das Dosieren des Effets erreicht. Der Stoß soll ruhig und ohne Rück- und Nachläufereffekte ausgeführt werden. Bei der vierten B 3-Position darf die linke kurze Bande vor der Karambolage mit B 3 nicht berührt werden.

Durchgänge: 3, bei 4 verschiedenen B 3-Positionen.

Punktewertung: Jeder gültige Versuch zählt 2 Punkte. Ein Versuch bringt nur Punkte, wenn B 2 den roten Ball in der unteren rechten Ecke trifft.

Zweck der Übung: Der Schüler lernt das Dosieren des Effets bei Einbändern, unter der Voraussetzung eines gleichbleibenden B 2-Treffs.

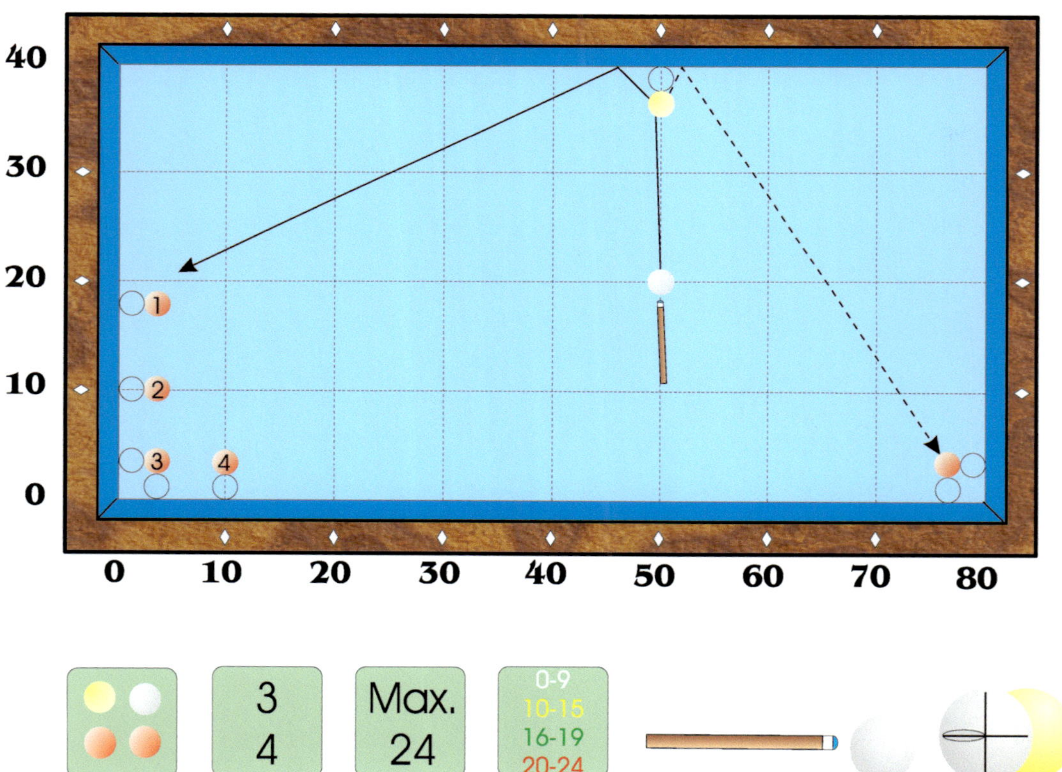

BANDENSPIEL MIT RÜCKZIEHERKONTROLLE 1.1

Aufgabe: B 1 soll B 2 und über die lange Bande B 3 treffen. Gleichzeitig soll B 2 über die lange Bande den roten Ball in der Ecke treffen. Auch bei dieser Übung bleibt der B 2-Treff immer gleich. Die unterschiedlichen B 3-Positionen werden hier durch das Dosieren der Anspielhöhe erreicht, wobei der Spielball mit viel Rechtseffet gespielt wird.

Durchgänge: 3, bei 4 verschiedenen B 3-Positionen.

Punktewertung: Jeder gültige Versuch zählt 2 Punkte. Trifft B 1 vor der Karambolage mit B 3 die untere lange Bande, ist der Versuch ungültig.

Zweck der Übung: Der Schüler lernt das Dosieren des Rückziehers bei Einbändern, unter der Voraussetzung eines gleichbleibenden B 2-Treff.

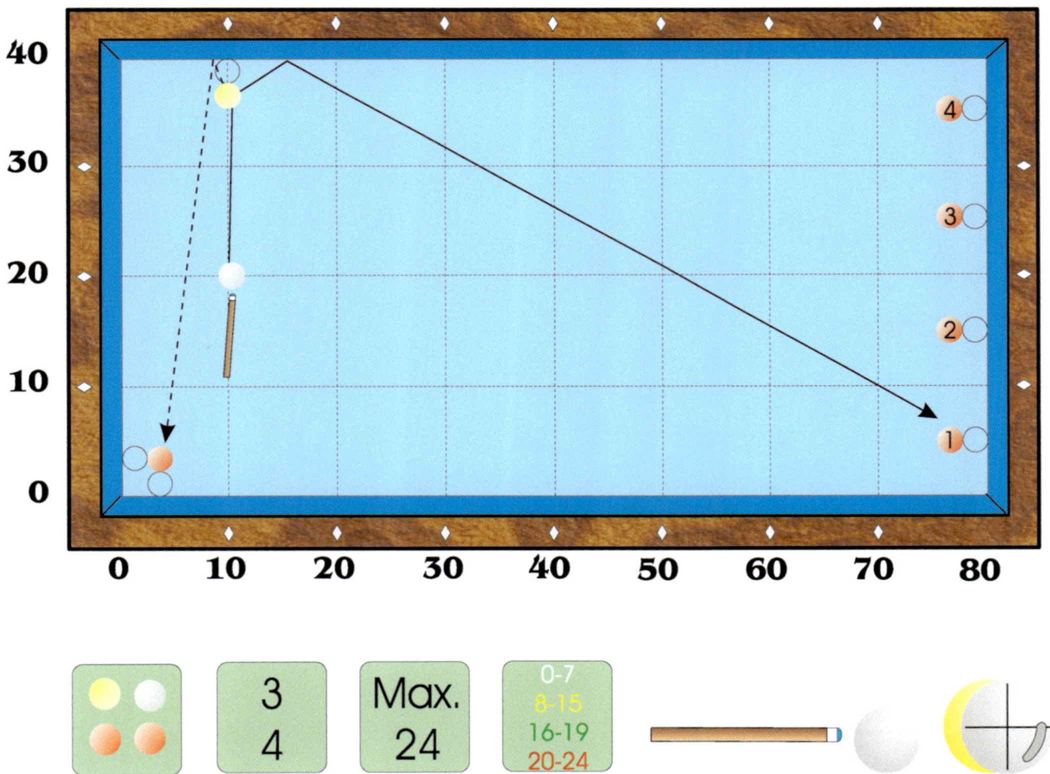

BANDENSPIEL MIT RÜCKZIEHERKONTROLLE 1.2

Aufgabe: B 1 soll B 2 und über die lange Bande B 3 treffen. Gleichzeitig soll B 2 über die lange Bande den roten Ball in der Ecke treffen. Auch bei dieser Übung bleibt der B 2-Treff immer gleich. Die unterschiedlichen B 3-Positionen werden hier durch das Dosieren der Anspielhöhe erreicht, wobei der Spielball mit viel Linkseffet gespielt wird.

Durchgänge: 3, bei 4 verschiedenen B 3-Positionen.

Punktewertung: Jeder gültige Versuch zählt 2 Punkte. Trifft B 1 vor der Karambolage mit B 3 die untere lange Bande, ist der Versuch ungültig.

Zweck der Übung: Der Schüler lernt das Dosieren des Rückziehers bei Einbändern, unter der Voraussetzung eines gleichbleibenden B 2-Treffs.

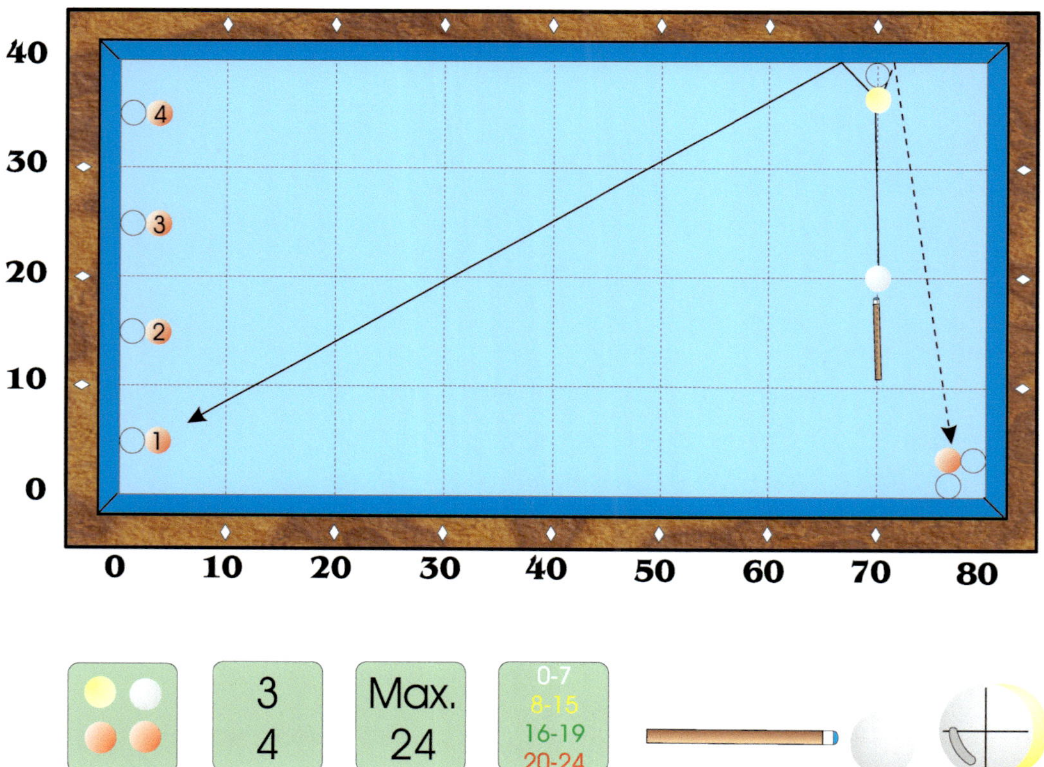

	3 4	Max. 24	0-7 8-15 16-19 20-24

KONTROLLE ÜBER DIE ANSPIELHÖHE 1.1

Aufgabe: Der Spielball soll B 2 und B 3 treffen. B 2 soll dabei immer so getroffen werden, dass er die kurze Bande zwischen dem gelben und dem roten Ball trifft, so dass die sechs Positionen von B 3 nur über die Anspielhöhe reguliert werden. B 3 wird im Abstand eines Kreidedurchmessers von der Bande entfernt aufgestellt.

Durchgänge: 2, bei 6 verschiedenen B 3-Positionen.

Punktewertung: Jede gültige Karambolage zählt 2 Punkte. Ein Versuch bringt nur Punkte, wenn B 2 die kurze Bande zuerst trifft.

Zweck der Übung: Der Schüler lernt, den Abprallwinkel von B 2 nur über die Anspielhöhe auf dem Spielball zu kontrollieren. Eine weitere Erkenntnis aus dieser Übung (und dem 2. Teil der Übung auf der folgenden Seite) ist, dass bei einer vorgegebenen Position von B 1 und B 2 und einem recht vollen B 2-Treff fast jeder Bandenpunkt des Tisches erreicht werden kann.

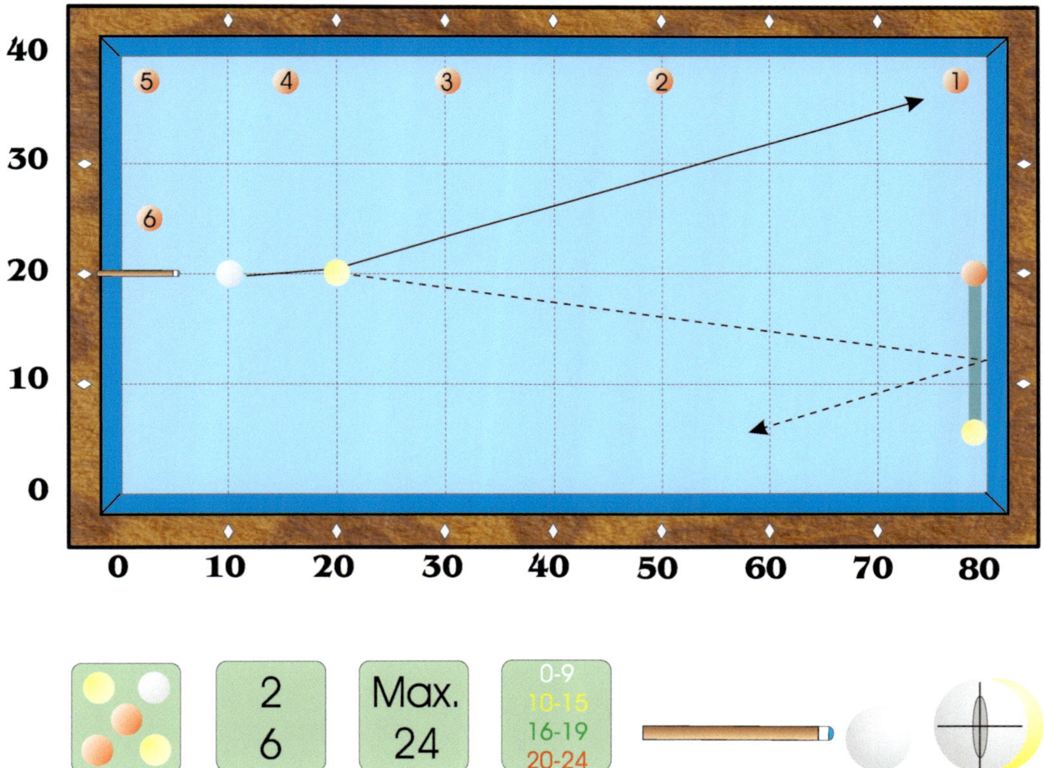

2
6

Max.
24

0-9
10-15
16-19
20-24

KONTROLLE ÜBER DIE ANSPIELHÖHE 1.2

Aufgabe: Der Spielball soll B 2 und B 3 treffen. B 2 soll dabei immer so getroffen werden, dass er die kurze Bande zwischen dem gelben und dem roten Ball trifft, so dass die sechs Positionen von B 3 nur über die Anspielhöhe reguliert werden. B 3 wird im Abstand eines Kreidedurchmessers von der Bande entfernt aufgestellt.

Durchgänge: 2, bei 6 verschiedenen B 3-Positionen.

Punktewertung: Jede gültige Karambolage zählt 2 Punkte. Ein Versuch bringt nur Punkte, wenn B 2 die kurze Bande zuerst trifft.

Zweck der Übung: Der Schüler lernt, den Abprallwinkel von B 2 nur über die Anspielhöhe auf dem Spielball zu kontrollieren. Eine weitere Erkenntnis aus dieser Übung (und dem 1. Teil der Übung auf der vorangegangenen Seite) ist, dass bei einer vorgegebenen Position von B 1 und B 2 und einem recht vollen B 2-Treff fast jeder Bandenpunkt des Tisches erreicht werden kann.

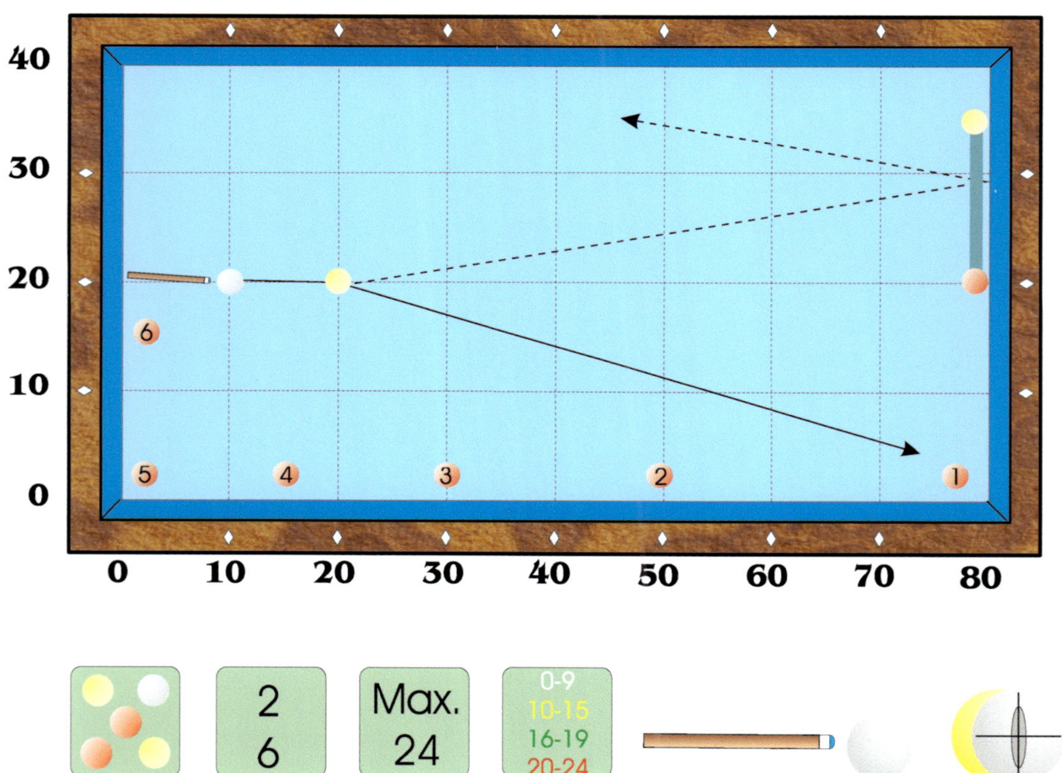

SPIELER:						VEREIN:					
Übung \ Datum											
T 1 (48)											
T 2 (48)											
T 3 (48)											
T 4 (50)											
T 5 (60)											
E 1 (48)											
E 2.1 (24)											
E 2.2 (24)											
R 1 (45)											
R 2 (45)											
R 3 (50)											
N 1 (45)											
N 2 (45)											
N 3 (50)											
DS (48)											
TRN 1 (48)											
TRN 2 (45)											
TF 1 (48)											
TF 2 (50)											
TFN 1.1 (24)											
TFN 1.2 (24)											
TFR (54)											
TFRN 1.1 (26)											
TFRN 1.2 (26)											
B 2 (48)											
BA (45)											
BME 1.1 (24)											
BME 1.2 (24)											
BME 2.1 (24)											
BME 2.2 (24)											
BMR 1.1 (24)											
BMR 1.2 (24)											
AH 1.1 (24)											
AH 1.2 (24)											
TOTAL											

SPIELER: VEREIN:

Übung \ Datum											
T 1 (48)											
T 2 (48)											
T 3 (48)											
T 4 (50)											
T 5 (60)											
E 1 (48)											
E 2.1 (24)											
E 2.2 (24)											
R 1 (45)											
R 2 (45)											
R 3 (50)											
N 1 (45)											
N 2 (45)											
N 3 (50)											
DS (48)											
TRN 1 (48)											
TRN 2 (45)											
TF 1 (48)											
TF 2 (50)											
TFN 1.1 (24)											
TFN 1.2 (24)											
TFR (54)											
TFRN 1.1 (26)											
TFRN 1.2 (26)											
B 2 (48)											
BA (45)											
BME 1.1 (24)											
BME 1.2 (24)											
BME 2.1 (24)											
BME 2.2 (24)											
BMR 1.1 (24)											
BMR 1.2 (24)											
AH 1.1 (24)											
AH 1.2 (24)											
TOTAL											

SPIELER:					VEREIN:						
Datum / Übung											
T 1 (48)											
T 2 (48)											
T 3 (48)											
T 4 (50)											
T 5 (60)											
E 1 (48)											
E 2.1 (24)											
E 2.2 (24)											
R 1 (45)											
R 2 (45)											
R 3 (50)											
N 1 (45)											
N 2 (45)											
N 3 (50)											
DS (48)											
TRN 1 (48)											
TRN 2 (45)											
TF 1 (48)											
TF 2 (50)											
TFN 1.1 (24)											
TFN 1.2 (24)											
TFR (54)											
TFRN 1.1 (26)											
TFRN 1.2 (26)											
B 2 (48)											
BA (45)											
BME 1.1 (24)											
BME 1.2 (24)											
BME 2.1 (24)											
BME 2.2 (24)											
BMR 1.1 (24)											
BMR 1.2 (24)											
AH 1.1 (24)											
AH 1.2 (24)											
TOTAL											

SPIELER: VEREIN:

Übung \ Datum											
T 1 (48)											
T 2 (48)											
T 3 (48)											
T 4 (50)											
T 5 (60)											
E 1 (48)											
E 2.1 (24)											
E 2.2 (24)											
R 1 (45)											
R 2 (45)											
R 3 (50)											
N 1 (45)											
N 2 (45)											
N 3 (50)											
DS (48)											
TRN 1 (48)											
TRN 2 (45)											
TF 1 (48)											
TF 2 (50)											
TFN 1.1 (24)											
TFN 1.2 (24)											
TFR (54)											
TFRN 1.1 (26)											
TFRN 1.2 (26)											
B 2 (48)											
BA (45)											
BME 1.1 (24)											
BME 1.2 (24)											
BME 2.1 (24)											
BME 2.2 (24)											
BMR 1.1 (24)											
BMR 1.2 (24)											
AH 1.1 (24)											
AH 1.2 (24)											
TOTAL											

SPIELER:						VEREIN:					
Übung / Datum											
T 1 (48)											
T 2 (48)											
T 3 (48)											
T 4 (50)											
T 5 (60)											
E 1 (48)											
E 2.1 (24)											
E 2.2 (24)											
R 1 (45)											
R 2 (45)											
R 3 (50)											
N 1 (45)											
N 2 (45)											
N 3 (50)											
DS (48)											
TRN 1 (48)											
TRN 2 (45)											
TF 1 (48)											
TF 2 (50)											
TFN 1.1 (24)											
TFN 1.2 (24)											
TFR (54)											
TFRN 1.1 (26)											
TFRN 1.2 (26)											
B 2 (48)											
BA (45)											
BME 1.1 (24)											
BME 1.2 (24)											
BME 2.1 (24)											
BME 2.2 (24)											
BMR 1.1 (24)											
BMR 1.2 (24)											
AH 1.1 (24)											
AH 1.2 (24)											
TOTAL											

TRAININGSSPIELE

Trainingsspiele bieten eine abwechslungsreiche und vergnügliche Art des Übens. Gerade wenn man zu zweit trainiert, steigert der Spielmodus die Motivation und den Ehrgeiz und damit auch die Leistung. Auch das Aufstellen der Ballpositionen funktioniert in der Gruppe schneller und effizienter.

Auf den folgenden Seiten sind ein paar Beispiele dafür, wie sich die Übungen auch als Spiel darstellen lassen. Grundsätzlich lässt sich jede Übung aus dieser Testreihe auch als Spiel ausführen, dabei sind der Kreativität keine Grenzen gesetzt.

Mit Hilfe des MYWEBSPORT-Systems kann man einzelne Trainingsspiele auch über Internet gegen einander spielen, oder man lässt einzelne Trainingsgruppen gegen einander antreten, z.B. Wien gegen Stuttgart.

TRAININGSSPIELE 1

Spielregeln: Ein Spieler spielt mit der weißen, der andere Spieler mit der gelben Kugel. Der beginnende Spieler soll über eine Bande mit seinem Spielball den anderen Ball treffen, wobei er die anzuspielende Bande frei wählen darf. Solange er das erfüllt, darf er aus der jeweiligen Folgeposition weiter spielen. Gelingt keine gültige Karambolage, ist der Gegenspieler an der Reihe.

Werden vor der Karambolage zwei Banden getroffen, erhält der Spieler keinen Punkt und der Gegenspieler ist an der Reihe.

Der Stoß soll immer ohne Effet, etwas über der Mitte und ruhig gespielt werden.

Spieldistanz: 50 Punkte in maximal 20 Aufnahmen.

Varianten: Wird das Spiel zu einfach, kann man die Regel einführen, dass jeder Stoß mit maximal Rechtseffet gespielt werden muss. Die folgende Partie wird dann mit Linkseffet gespielt. Eine weitere Variante ist, dass der Gegner bei jedem Stoß das Effet bestimmt.

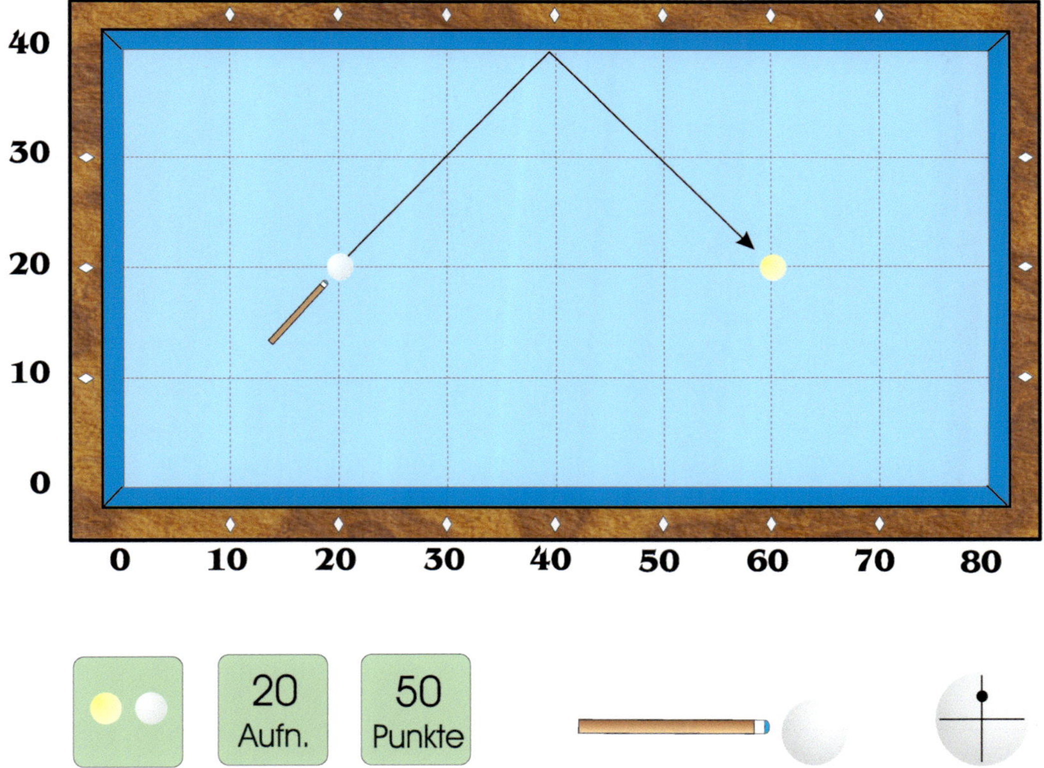

TRAININGSSPIELE 2

Spielregeln: Ein Spieler spielt mit der weissen, der andere Spieler mit der gelben Kugel. Der beginnende Spieler soll über zwei Banden mit seinem Spielball den anderen Ball treffen, wobei er die anzuspielenden Banden frei wählen darf. Solange er das erfüllt, darf er aus der jeweiligen Folgeposition weiter spielen. Gelingt keine gültige Karambolage, ist der Gegenspieler an der Reihe.
Werden vor der Karambolage nur eine oder mehr als zwei Banden getroffen, erhält der Spieler keinen Punkt und der Gegenspieler ist an der Reihe.
Der Stoß soll ohne Effet, etwas über der Mitte und ruhig gespielt werden.

Spieldistanz: 50 Punkte in maximal 20 Aufnahmen.

Varianten: Wird das Spiel zu einfach, kann man die Regel einführen, dass jeder Stoß mit maximal Rechtseffet gespielt werden muss. Die folgende Partie wird dann mit Linkseffet gespielt. Eine weitere Variante ist, dass der Gegner bei jedem Stoß das Effet bestimmt.

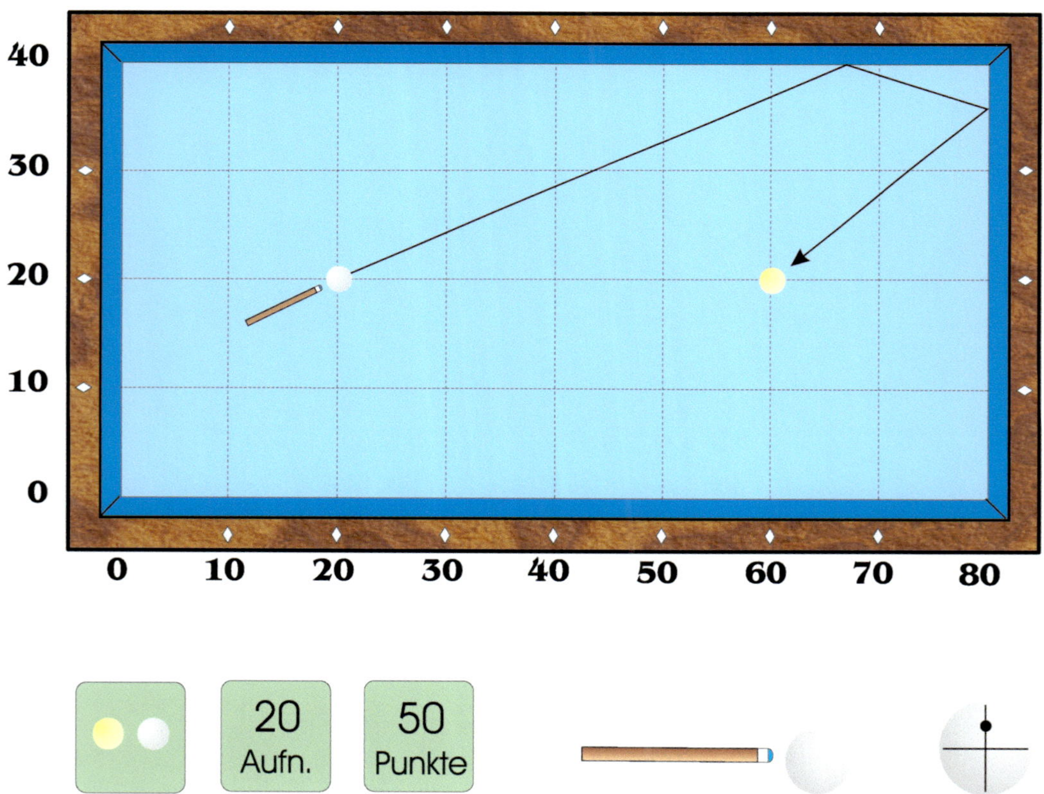

TRAININGSSPIELE 3

Spielregeln: Die Bälle werden der unten stehenden Grafik entsprechend aufgestellt: Der weisse Ball auf (20/20), der gelbe Ball press an der Mitte der kurzen Bande. Der Spieler versucht, mit seinem Spielball B 2 so dünn wie möglich zu treffen und anschließend in Zone 3 zurück zu kommen. Je weniger sich B 2 dabei bewegt, desto besser. Bleibt B 2 in Zone 1 erhält der Spieler 10 Punkte, bleibt er in Zone 2, erhält er 5 Punkte. Die Spieler wechseln sich ab. Jeder Spieler hat 20 Versuche, wobei bei den ersten zehn Versuchen B 2 rechts getroffen und bei den nächsten zehn Versuchen B 2 links getroffen wird.
Der Spielball soll ohne Effet gespielt werden.

Spieldistanz: 20 Aufnahmen

Varianten: Das gleiche Spiel kann auch mit halbem oder maximalem Seiteneffet durchgeführt werden, was die Schwierigkeit deutlich erhöht.

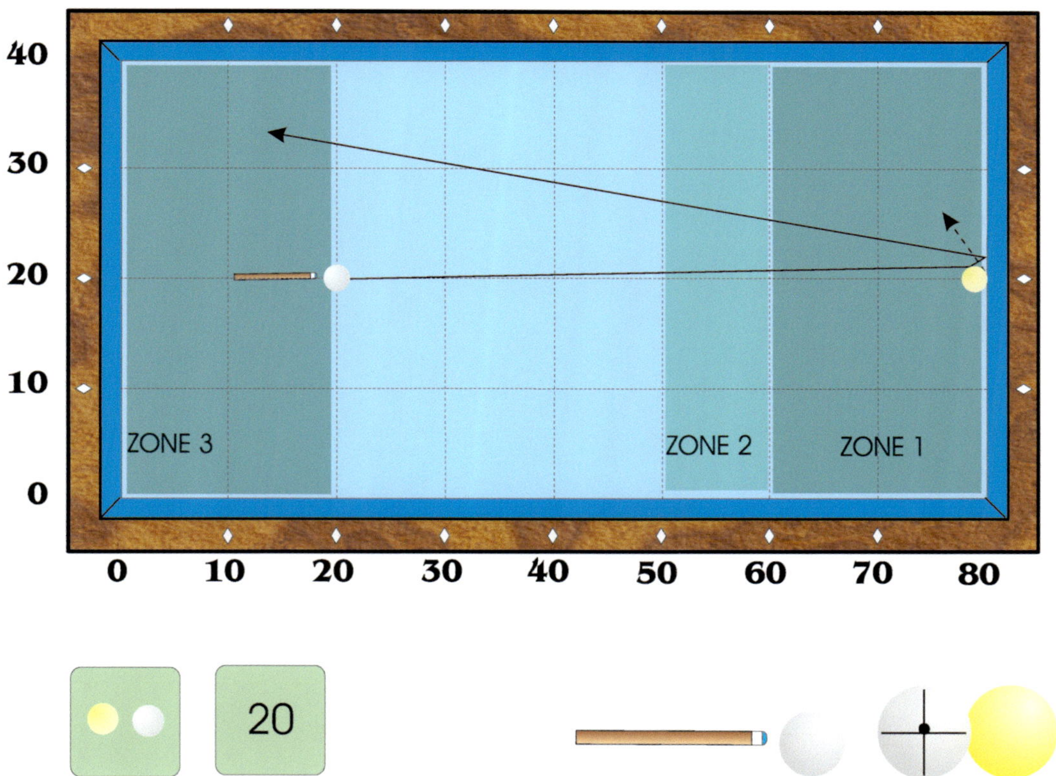

TRAININGSSPIELE 4

Spielregeln: B 1 wird mit maximalem Rückziehereffekt auf B 2 gespielt, wobei das Tempo so gewählt werden soll, dass B 2 in Zone 4 stehen bleibt. Kommt B 1 nur bis Zone 1, zählt der Stoß 2 Punkte, in Zone 2 6 Punkte und in Zone 3 10 Punkte. Hat der Rückzieher so viel Qualität, dass er Zone 3 wieder verlässt, erhält der Spieler trotzdem 10 Punkte. Bleibt B 2 nicht in Zone 4, wird die erreichte Punktzahl halbiert. Trifft B 1 die untere lange Bande, ist dieser Bandenpunkt maßgebend für die Bewertung der Zone.
Die Spieler wechseln sich nach jedem Stoß ab.

Spieldistanz: 20 Aufnahmen oder 100 Punkte.

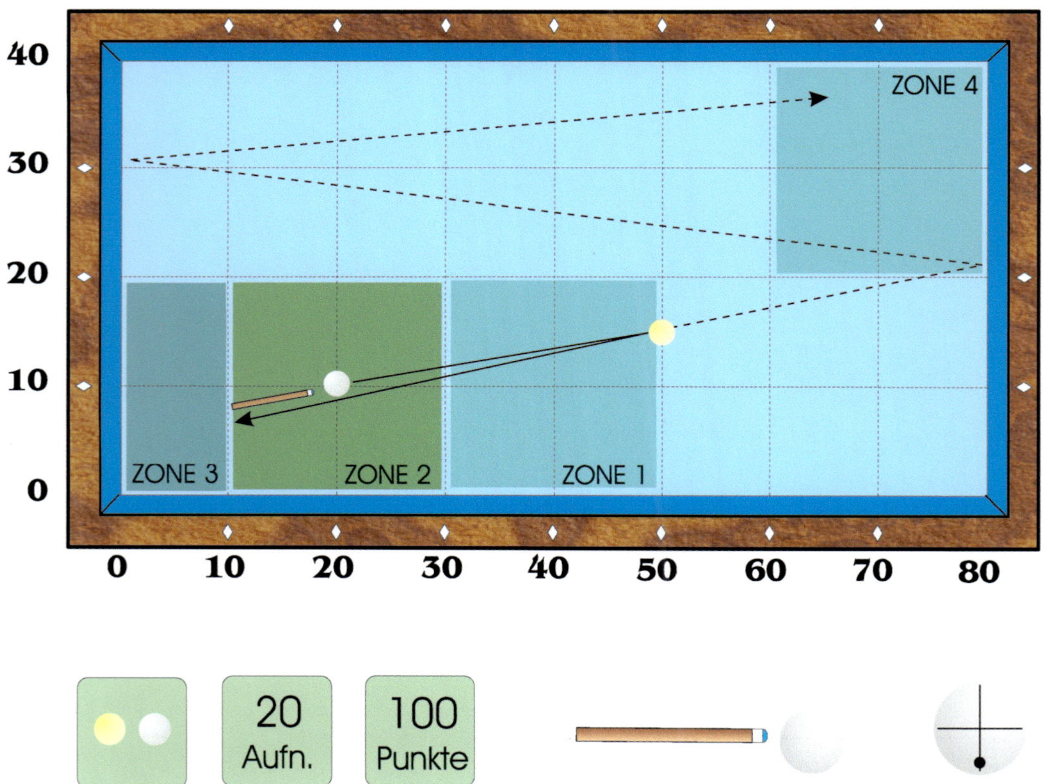

TRAININGSSPIELE 5

Spielregeln: B 1(30/12) wird mit maximalem Nachläufereffekt auf B 2(50/15) gespielt, wobei das Tempo so gewählt werden soll, dass B 2 in Zone 4 stehen bleibt. Kommt B 1 nur bis Zone 1, zählt der Stoß 2 Punkte, in Zone 2 6 Punkte und in Zone 3 10 Punkte. Hat der Nachläufer so viel Qualität, dass er Zone 3 wieder verlässt, erhält der Spieler trotzdem 10 Punkte. Bleibt B 2 nicht in Zone 4, wird die erreichte Punktzahl halbiert. Trifft B 1 eine der langen Banden, ist dieser Bandenpunkt maßgebend für die Bewertung der Zone.
Die Spieler wechseln sich nach jedem Stoß ab.

Spieldistanz: 20 Aufnahmen oder 100 Punkte.

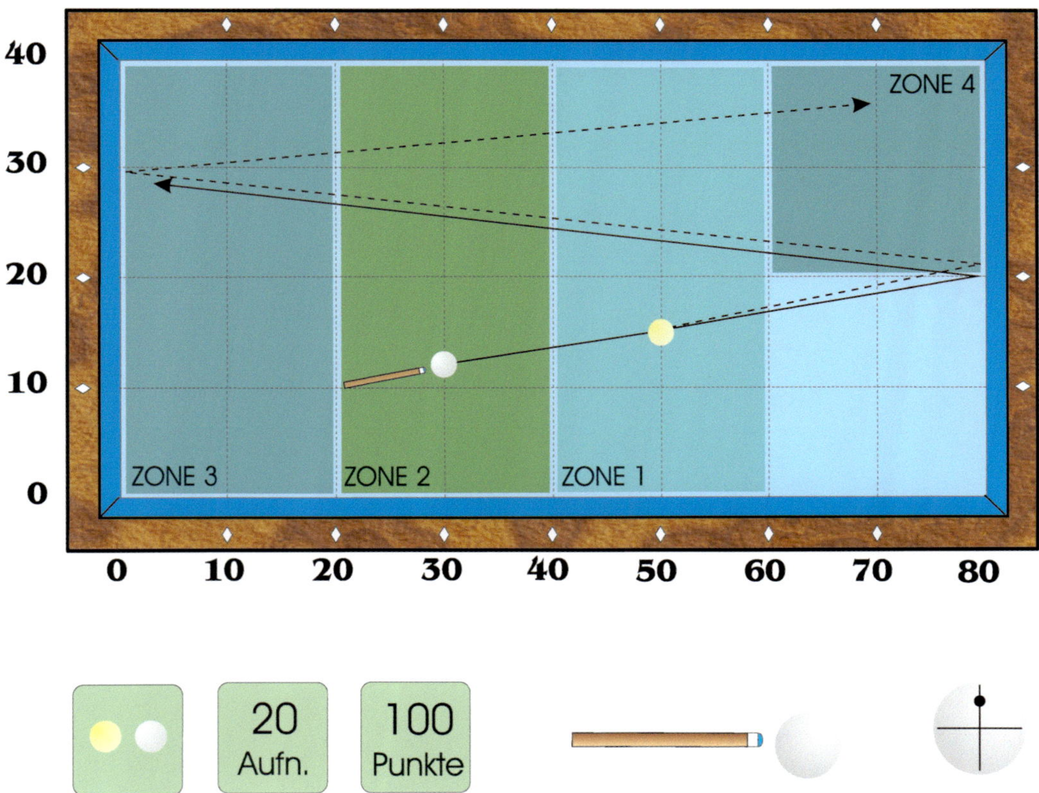

TRAININGSSPIELE 6

Spielregeln: Gespielt wird mit 5 Kugeln (weiß, gelb, blau und 2x rot). Ein Spieler spielt mit Weiß, der andere mit Gelb. Der beginnende Spieler muss mit seinem Spielball mindestens 2 der anderen Bälle treffen. Dabei muss er vorher ansagen, welche 2 Objektbälle er treffen wird. Gelingt dies, darf er weiter spielen. Gelingt es nicht, ist der Gegner an der Reihe und spielt aus der Position weiter, die der erste Spieler hinterlassen hat.

Spieldistanz: 20 Aufnahmen oder 50 Punkte.

Spielbeginn: Mittels Bandenausstoß wird ermittelt, welcher Spieler die Partie beginnt. Anschließend werden die Bälle wie unten eingezeichnet positioniert, und das Spiel kann beginnen.

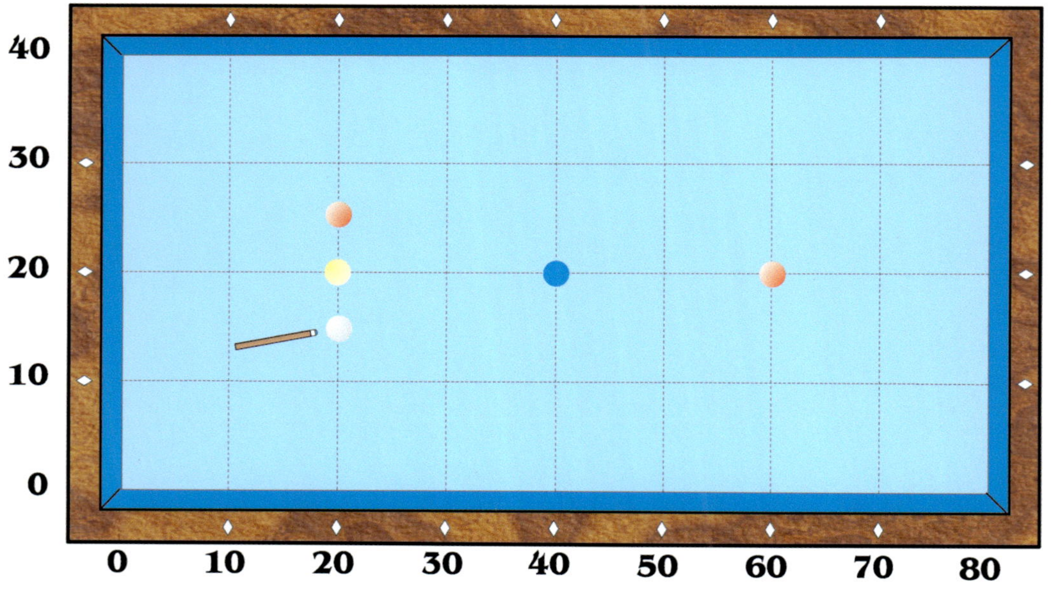

DREIBANDTRAINING IM WIENERWALD

DAS TRAINING:

- Einzel und Gruppentraining (max. 4 Teilnehmer)
- Training in Deutsch, Englisch, Französisch und Spanisch
- Übernachtungsmöglichkeit für 2 Personen
- Pensionen und Hotels im Ort (oder in Wien)
- Trainingsumfang und Trainingsschwerpunkte individuell planbar. Kosten nach Vereinbarung

DER TRAINER ANDREAS EFLER:

- Mehrfacher österreichischer Staatsmeister
- Weltcupturniersieger
- Vizeeuropameister
- Vizeweltmeister in der 2er Mannschaft
- Autor von Billardbüchern
- Mywebsport-Trainer

DER TRAININGSRAUM:

-MYWEBSPORT-TRAININGSSYSTEM
Dieses High-Tech-System macht das Training maximal effizienzt (siehe folgende Seiten).
-HIGHSPEEDKAMERA
Die Superzeitlupe ermöglicht eine perfekte Stoßanalyse.
-INTERNATIONALER BILLARDLITERATUR

DER ORT HINTERBRÜHL BEI WIEN:

- 20 Km südlich von Wien, mitten im Wienerwald
- leicht zu erreichen über die Autobahn
- Stadtnahes Wandergebiet mit urtümlichen Heurigen und Landgasthöfen
- Ausflugsziele wie die Seegrotte mit Europas größtem unterirdischen See.

Kontakt: E-mail: andreas_efler@yahoo.com Tel.: 00436509997797
Homepage: www.efler-billard.com

DIE NEUE DIMENSION IM BILLARD

MÖGLICHKEITEN

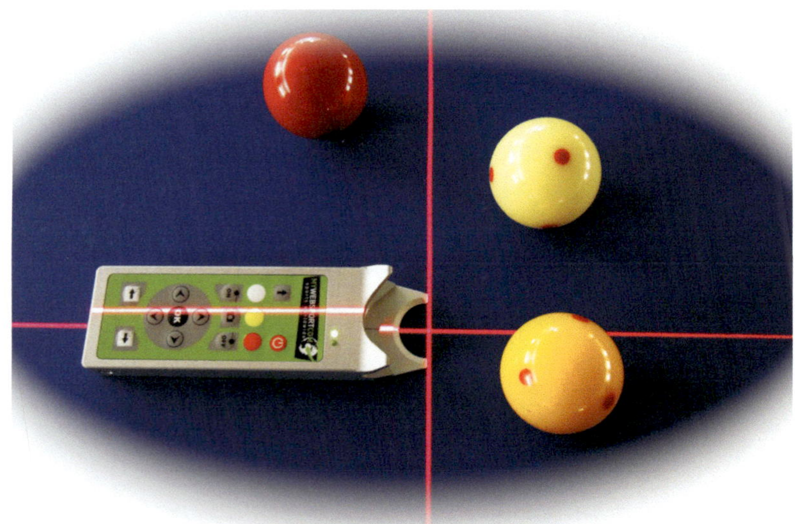

Weltweit spielen & trainieren und über 1.000 Kilometer entfernt

Partien nachspielen
knifflige Lösungen diskutieren
Weltklassespieler kontaktieren
Turniere abwickeln
Trainieren
Trainer buchen
Simultan-Training

GRENZENLOS BILLARD SPIELEN

Mit MYWEBSPORT wird eine globale Vernetzung aller Billardspieler möglich, die es nicht nur erlaubt in Echtzeit mit Spielern aus aller Welt zu kommunizieren, sondern auch Turniere zu spielen und gegenseitig Wissen auszutauschen, ohne seinen Club verlassen zu müssen.

Nach Ende der Serie erfasst die Kamera die Lage der Bälle und überträgt sie in Sekundenbruchteilen an das System, das die Daten zum gegnerischen Computer schickt. Der Gegner (Trainingspartner) stellt mittels Laser die Bälleauf und spielt.

MYWEBSPORT - KOMPONENTEN

Das komplette MYWEBSPORT- System besteht aus einer Edelstahl-Box, in der sich Spezialkamera und Präzisionslaser befinden. Gesteuert wird das gesamte System über den Computer, der sich ganz einfach über Touchscreen und Multifunktions-Fernbedienung steuern lässt.
Im Lieferumfang enthalten sind auch Computer, Terminal, Webcam, Headset mit Mikrophon, großer Flat-TV und Halterungen.

TURNIERE

EINZEL- & TEAMBEWERBE:
- Ob als Einzelspieler oder im Team - die MYWEBSPORT WORLD ASSOCIATION veranstaltet verschiedenste Turniere für alle Leistungsniveaus. Denn jeder User ist Teil unserer Community. Und das leben wir, Tag für Tag!
- Äußerst populär ist die Turnierserie WEEKLY HIGH RUN. Im Juli 2012 wurde bereits das 50. Einzelturnier gespielt. Wer die höchste Serie erzielt, hat gewonnen
- Emotionen, Nervenkitzel und Glücksmomente gehören hier dazu!

INNOVATIVE TURNIERFORMATE & PREISGELDER:
- Wer zu lange stehen bleibt, macht einen Schritt zurück. Die MYWEBSPORT WORLD ASSOCIATION verbindet Sport mit Zeitgeist und schreckt nicht davor zurück, neue Wege zu gehen!
- Spannende Turnierformate, Preisgelder und Entertainment begeistern Athleten wie auch fachfremdes Publikum. Billard ist viel zu schön, um es nicht mit Mitmenschen zu teilen - JOIN THE COMMUNITY & PLAY WORLDWIDE

MYWEBSPORT KAUF ODER MIETKAUF

Das MYWEBSPORT-System ist ab sofort erhältlich. Einzige Voraussetzung für MYWEBSPORT-Vereine ist eine Internetverbindung.

Für Vereine besteht die Möglichkeit MYWEBSPORT zu kaufen oder langfristig über einen Mietkauf zu finanzieren.

Die aktuellen Bedingungen für einen Kauf oder Mietkauf erhalten Sie unter info@mywebsport.com.

Jeder angemeldete Spieler kann das System nützen. Mit seinem MYWEBSPORT-Username und seinem Passwort steigt das Mitglied in das System ein. Die Registrierung erfolgt über www.mywebsport.com.

INFORMATION & KONTAKT

MYWEBSPORT
Schlerngasse 1b
6020 Innsbruck
AUSTRIA
info@mywebsport.com
www.mywebsport.com
0043 (0) 664 3454157

JOIN THE COMMUNITY & PLAY WORLDWIDE